黄河水利委员会治黄著作出版资金资助出版图书

U0376558

黄河流域气象水文学要素图集

ATLAS OF METEO-HYDROLOGIC ELEMENTS IN THE YELLOW RIVER BASIN

刘昌明　曾　燕　邱新法　主编

黄河水利出版社

图书在版编目(CIP)数据

黄河流域气象水文学要素图集/刘昌明,曾燕,
邱新法主编.—郑州:黄河水利出版社,2004.8
ISBN 7－80621－810－6

Ⅰ.黄…　Ⅱ.①刘…②曾…③邱…　Ⅲ.黄河流
域－水文气象学－气象要素－图集　Ⅳ.P339－64

中国版本图书馆 CIP 数据核字(2004)第 078470 号

责任编辑	岳德军 张　倩	**美术编辑**	谢　萍
责任校对	杨秀英	**责任监制**	常红昕

出 版 社:黄河水利出版社
　　　　　地址:河南省郑州市金水路 11 号　　邮政编码:450003
发行单位:黄河水利出版社
　　　　　发行部电话及传真:0371－6022620
　　　　　E-mail:yrcp@public.zz.ha.cn
承印单位:河南省瑞光印务股份有限公司
开本:890 毫米×1 240 毫米　1/8
印张:12.75
印数:1—1 000
版次:2004 年 8 月第 1 版　　　　印次:2004 年 8 月第 1 次印刷

书号:ISBN 7－80621－810－6/P·38　　定价:120.00 元

图 集 编 制 人 员

主 编

刘昌明　曾　燕　邱新法

模型程序设计与资料统计

邱新法　曾　燕　林学钰

张学成　杨胜天　孙　睿

制 图

曾　燕　邱新法　顾显跃　王潇宇

王永亮　王晶晶　林　昕　狄利华

序

  从20世纪70年代开始，黄河下游及上中游地区部分支流出现断流，连同主河槽日益萎缩、泥沙淤积造成平滩流量衰减和水流遭受污染等，成为国内外普遍关注的重大问题。

  1999年科技部《国家重点基础研究发展规划》批准开展的"973"项目"黄河流域水资源演化规律与可再生性维持机理"(G19990436)旨在开展治黄问题的深入研究。该项目经过5年的研究，目前已初步取得了一批研究成果。由黄河水利出版社出版的这本图集是项目研究课题"黄河流域水循环动力机制与模拟"(G19990436-01)的研究成果之一。利用GIS方法对全流域气象水文资料与数字高程模型(DEM)数据进行了系统的计算分析，通过计算机制图技术的开发研制而成，为分析全流域气象水文学要素分布变化，进而为研究维持黄河健康生命的技术与应用提供了基础性的科学依据。

黄河水利委员会主任 李国英

2004 年 8 月 23 日

前　言

　　黄河是我国的第二大河，中华民族文化的摇篮，哺育我们的"母亲河"。黄河流域幅员辽阔，是当前我国西部大开发的重要地区之一。黄河流域大部分地区属于半干旱、半湿润区，具有水资源条件先天不足和水少沙多的特点，人均占有年水资源量仅为全国平均的五分之一。但是，黄河作为我国北方地区最大的供水水源，以其占全国河川径流2%的有限水量，担负着本流域和下游引黄灌区占全国9%耕地面积和12%人口的供水任务，同时还要向流域外部分地区（含河北、天津及青岛）远距离送水。全流域水资源总量利用率已高达84%，水资源净消耗率达到53.3%。在当今气候明显变暖和人类活动加剧的影响下，水资源状况恶化，特别是近20多年来，干流、主要支流下游"零流量"断流频繁发生，功能性断流仍然存在。黄河水资源的这种变化不仅加剧了水资源的供需矛盾，而且对流域的生态环境带来一系列冲击。黄河的健康生命正面临着威胁。

　　维持黄河健康生命和缓解黄河流域水资源危机的科学依据在于对流域水循环过程的认识和把握。水资源的开发利用本质上是人类对天然水循环过程的干扰。天然水循环特征必然因人类活动而改变，并反过来影响水资源的开发利用。因此，在认识水循环规律的基础上，开发利用水资源才有可能趋于合理和高效，从而维持黄河健康生命，实现水资源的可持续利用。探索黄河流域水循环的演化规律，首先要分析黄河流域水循环中各气象水文要素的背景及其空间分布与时间动态变化规律，进而探讨反映气候变化所相应的气象水文要素变化特征，鉴别气候变化对黄河流域水资源变化程度的影响，通过气象水文要素变化特征分析，分清气候变化与人类活动影响，包括土地利用和土地覆被变化以及工业城市化的影响与复杂反馈响应；其次是在此基础上寻找协调黄河流域人水关系的适应性对策，以维系黄河流域可再生水资源的良性循环和可持续性的开发利用。

　　国家重点基础研究发展规划（973）项目"黄河流域水资源演化规律与可再生性维持机理"（G19990436）的研究，旨在针对黄河水资源问题的形成原因进行深入分析。为配合黄河水利委员会治黄的重大需要，选择了基础性的科学问题，在深入研究黄河水资源的形成演化规律的基础

上，探索黄河水资源可更新和可再生性维持的新问题。总体思路是以水循环和水资源二元演化为主线索，以水资源可再生性维持理论为指导，以多维临界综合调控为手段，实现黄河流域水资源的可持续利用。同时深入揭示水沙过程变异、河道萎缩以及小水大灾形成机理，提出恢复流域生态环境和河道行洪能力的研究成果，为缓解黄河水危机、维护生态环境和防治洪水灾害，提供理论依据。根据这一总体思路，设置了8个课题的研究，其中，第一课题"黄河流域水循环动力学机制与模拟"主要研究黄河流域水循环变化规律，包括三个重点内容：黄河流域产、汇流；分布式流域水文模型；地理信息系统（GIS）和遥感（RS）在黄河流域水循环要素分析中的应用。这一课题在整个项目中属于基础研究部分。《黄河流域气象水文学要素图集》是该课题基于地理信息系统（GIS）和遥感（RS）技术的支持，对20世纪后半叶全流域气象水文学要素的时空变化进行大尺度研究的两项集成性成果之一。

　　影响水循环过程和水资源变化的气象水文要素因子众多。它们之间既相互独立又互相联系，而且包含着多种人类活动的影响。为了综合分析问题，需要对各气象水文学要素分别进行确切定量。本图集共有260多幅图，内容包括黄河全流域的天文辐射、可照时间、日照百分率、日照时间、总辐射量、地表反照率、有效辐射量、辐射平衡量、降水量、最大降水量、最小降水量、降水量变差系数、年降水量概率、年辐射干燥指数、平均气温、平均最高气温、平均最低气温、蒸发皿蒸发量、潜在蒸散量、陆面蒸散量、土壤湿度、年径流深、地下水系统分布等。其中基于DEM的全流域天文辐射、可照时间图，基于分布式实际陆面蒸散模型的全流域实际陆面蒸散量、潜在蒸散量图，以及基于遥感信息编制的土壤湿度图等均属于在黄河流域首次提出的新成果。图集附有主要地名、水资源分区与支流界线的透明胶片，方便应用，具有特色。本图的成果可为黄河流域水文水资源变化研究提供理论上的依据。

　　图集中地下水系统分布图由林学钰提供；径流深图由张学成提供；土壤湿度图由杨胜天提供；地表反照率图由孙睿提供；其他要素均由曾燕与邱新法给出。

刘昌明　曾　燕

2004年6月30日

目 录

图集要素及有关说明

资料与处理

所用气象资料由中国气象局气象中心提供（该资料已经过初步质量控制），为黄河流域及其周边164个常规气象站（图1）1960～2000年逐月常规气象资料，包括降水量、平均气温、最高气温、最低气温、日照时数、日照百分率、20cm口径蒸发皿蒸发量、水汽压、风速等要素。其中，有降水和日照百分率观测资料的台站为146个，有温度观测资料的台站为161个，有蒸发皿观测资料的台站为123个；黄河流域及其周边35个日射站1957～2001年逐月太阳总辐射资料；全国17个日射站1993～2001年逐月有效辐射资料。

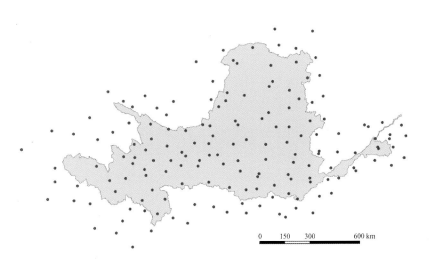

图1 黄河流域及其周边164个常规气象站空间分布

对每个台站的所有气象要素进行整理，经过严格的质量检测筛选后，获取其年和季节特征序列。其中，季节划分是以3～5月为春季，6～8月为夏季，9～11月为秋季，12月至翌年2月为冬季。

方法

以黄河流域及其周边164个常规气象站观测资料、覆盖黄河流域

❶ 赵国藏主编，中国地图出版社于1994年出版。

的1km×1km分辨率的DEM数据、8km×8km分辨率的NOAA/AVHRR数据等作为输入，以遥感影像处理系统PCI、地理信息系统ArcGIS8.1为数据处理平台，采用自主建立模型的计算结果或原始资料汇总统计结果插值的方法，生成各要素长年气候平均空间分布图。

地图投影与比例尺

地图投影为Albers等积圆锥投影，第一基准纬线为33°N，第二基准纬线为39°N，中央经线为108°E；大图幅比例尺为1:600万，小图幅比例尺为1:1200万。

黄河流域地理位置

黄河流域处于秦岭和阴山之间，介于北纬32°～42°、东经96°～119°之间，总面积为752443km²，若包括鄂尔多斯高原内流区则为794712km²。大部分在半湿润、半干旱的暖温带，其中，干旱区占11.7%，半干旱区占28.2%，半湿润区占54.8%，湿润区占5.3%。气候分区参考《中国气候资源地图集》❶，其具体分布见图2。

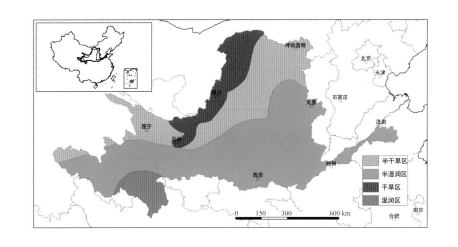

图2 黄河流域气候分区

天文辐射量

在不考虑大气影响的情形下，仅由日地天文关系和地理、地形因素所决定的地表太阳辐射量为天文辐射量，它是地表实际入射太阳辐射的基础背景，也是辐射计算、太阳能资源评估及其他相关研究领域重要的起始变量。基于1km×1km分辨率的数字高程模型（DEM）数据，利用建立的起伏地形下天文辐射分布式计算模型，在详细考虑地形因子（坡度、坡向、地形遮蔽）的基础上，计算获得黄河流域1km×1km分辨率天文辐射量的空间分布，计算方法详见文献[1]。

可照时间

"可照时间"一般有两种含义，即：①天文可照时间——不考虑大气影响和地形遮蔽的最大可能日照时间；②地理可照时间——考虑地形遮蔽而不考虑大气影响的可能日照时间。本图集中的"可照时间"是指"地理可照时间"。基于1km×1km分辨率的DEM数据，利用建立的起伏地形下可照时间分布式计算模型[2,3]，计算获得黄河流域1km×1km分辨率可照时间的空间分布，计算方法详见文献[3]。

日照百分率

日照百分率为气象站日照计观测的"日照时间"与"天文可照时间"的比值。以黄河流域及其周边146个常规气象站1960～2000年日照百分率资料作为点上数值，采用空间插值的方法，获得黄河流域气候平均日照百分率的空间分布。

日照时间

日照时间是指受大气和地形遮蔽影响，地面实际接收到的日照时数。将利用起伏地形下可照时间分布式计算模型计算获得的可照时间与日照百分率相乘，获得黄河流域日照时间的空间分布。

总辐射量

太阳辐射进入大气以后，受到大气中气体分子、水汽、气溶胶等各种成分的吸收、散射以及云的反射和吸收作用而减弱。经过大气后，到达地表水平面的太阳辐射量分为太阳直接辐射量与散射辐射量两种，二者之和称为太阳总辐射量。利用黄河流域及其周边35个日射站总辐射观测资料建立太阳总辐射量拟合模型，之后利用模型，结合黄河流域及其周边146个常规气象站日照百分率观测资料，获取常规气象站1960~2000年总辐射量拟合结果。以常规气象站拟合总辐射量资料和35个日射站总辐射量实测资料作为点上数值，采用空间插值的方法，获得黄河流域气候平均总辐射量的空间分布。

地表反照率

该图由北京师范大学孙睿副教授提供。

地表反照率反映了地表对太阳总辐射的反射特征，它的变化会对陆面过程产生较为明显的影响。利用 Valiente (1995) 给出的基于 NOAA / AVHRR 观测数据反演地表反照率的计算公式[4]，结合 1981~2000 年逐月 NOAA/AVHRR 通道1和2观测数据（分辨率为 8km × 8km），获得黄河流域气候平均地表反照率的空间分布。反照率计算公式为

$$\alpha_s = 0.545\rho_{CH1} + 0.320\rho_{CH2} + 0.035 \tag{1}$$

式中，ρ_{CH1}、ρ_{CH2} 为 AVHRR 通道1和2的观测值。

有效辐射量

有效辐射量为地表支出长波辐射量与收入长波辐射量之差。运用全国17个日射站有效辐射实测资料建立有效辐射拟合模型，之后利用模型，结合黄河流域及其周边146个常规气象站日照百分率和水汽压观测资料，获取常规气象站1960~2000年有效辐射量拟合结果。

以常规气象站拟合有效辐射资料作为点上数值，采用空间插值的方法，获得黄河流域气候平均有效辐射量的空间分布。

辐射平衡量

辐射平衡量为地表获得的净短波辐射量与净长波辐射量之和。将计算获得的总辐射量与地表反照率相乘，减去有效辐射量，即可获得黄河流域辐射平衡量的空间分布。

降水量

以黄河流域及其周边146个常规气象站1960~2000年降水量观测资料作为点上数值，采用空间插值的方法，获得黄河流域气候平均降水量的空间分布。

最大降水量❶

对黄河流域及其周边146个常规气象站1960~2000年降水量观测资料进行统计汇总，获取各站41年降水量的最大值作为点上数值，采用空间插值的方法，获得黄河流域最大降水量的空间分布。

最小降水量

对黄河流域及其周边146个常规气象站1960~2000年降水量观测资料进行统计汇总，获取各站41年降水量的最小值作为点上数值，采用空间插值的方法，获得黄河流域最小降水量的空间分布。

降水量变差系数

对黄河流域及其周边146个常规气象站1960~2000年降水量观测资料进行统计汇总，获取各站降水量变差系数作为点上数值，采用空间插值的方法，获得黄河流域降水量变差系数的空间分布。年降水量变差系数 C_v 的定义如下：

$$C_v = \sqrt{\frac{\sum_{i=1}^{n}(K_i - 1)^2}{n-1}} \tag{2}$$

式中，n 为观测年数；K_i 为第 i 年的年降水变率，即第 i 年的年降水量与多年平均年降水量的比值。

将上式中年降水量替换为汛期降水量（6~9月降水量）即可获得汛期降水量变差系数。

年降水量概率

对黄河流域及其周边146个常规气象站1960~2000年降水量观测资料进行统计汇总，获取各站年降水量大于等于或小于等于某临界值的出现概率作为点上数值，采用空间插值的方法，获得黄河流域年降水量概率的空间分布。

年辐射干燥指数

年辐射干燥指数为年辐射平衡量与蒸发潜热和年降水量乘积的比。年辐射干燥指数 D 的计算公式为

$$D = \frac{R_n}{LP} \tag{3}$$

式中，R_n 为年辐射平衡量；L 为蒸发潜热；P 为年降水量。

平均气温

以黄河流域及其周边161个常规气象站1960~2000年平均气温观测资料作为点上数值，采用空间插值的方法，获得黄河流域气候平均气温的空间分布。

平均最高气温❷

以黄河流域及其周边161个常规气象站1960~2000年平均最高

❶ 图集中年最大降水量为41年中的最大年降水量；季节最大降水量为41年中的最大季节降水量；月最大降水量为41年中的最大月降水量。最小降水量概念以此类推。

❷ 气象部门给出的月平均最高气温资料为该月逐日最高气温观测资料累加求和后除以该月总天数而获得的算术平均值。在进行资料统计时，以12个月平均最高气温的平均值作为年平均最高气温。本图集给出的平均最高气温为其气候平均值，即：月平均最高气温为41年月平均最高气温的平均值；年平均最高气温为41年年平均最高气温的平均值。平均最低气温概念以此类推。

气温观测资料作为点上数值，采用空间插值的方法，获得黄河流域气候平均最高气温空间分布。

平均最低气温

以黄河流域及其周边161个常规气象站1960～2000年平均最低气温观测资料作为点上数值，采用空间插值的方法，获得黄河流域气候平均最低气温空间分布。

蒸发皿蒸发量

以黄河流域及其周边123个常规气象站1960～2000年20cm口径蒸发皿蒸发量观测资料作为点上数值，采用空间插值的方法，获得黄河流域气候平均蒸发皿蒸发量空间分布。

潜在蒸散量

运用penman公式，以1km×1km分辨率的DEM数据、NOAA/AVHRR数据反演的地表反照率和常规气象观测资料作为输入，计算获得黄河流域1km×1km分辨率气候平均潜在蒸散量空间分布，计算方法详见文献[5]。

陆面蒸散量

利用建立的以蒸散互补理论❶为基础的实际陆面蒸散分布式计算模型，以1km×1km分辨率的DEM数据、NOAA/AVHRR数据反演的地表反照率和常规气象观测资料作为输入，计算获得黄河流域1km×1km分辨率气候平均实际陆面蒸散量空间分布，计算方法详见文献[5]。

土壤湿度

该图由北京师范大学杨胜天教授提供。

利用1982～1998年AVHRR的pathfinder遥感数据，以及相同时段黄河流域及其周边29个农业气象观测站土壤湿度观测资料和123个常规气象站降水量、蒸发皿蒸发量观测资料，建立以遥感条件温度植被指数和气象观测数据为基础的黄河流域厚层土体（0～1m）土壤湿度遥感估算方法，计算出1982～1998年黄河流域8km×8km分辨率的1m土体土壤水分含量，计算方法详见文献[6]。

年径流深

该图由黄河水利委员会教授级高级工程师张学成提供，为黄河流域1956～2000年平均年径流深。

地下水系统分布

该图由北京师范大学林学钰院士提供。

地下水系统是指在一定的地貌、构造等主要因素制约下，具有共同水文地质特征与演变规律的相对独立的有机整体。由于系统的含水体结构、水理性质，以及水循环途径、方式和水均衡要素结构等自身内在的差异，各种自然环境条件影响下形成的地下水系统，其水文地质特征差异较大。基于上述原则，并参考有关研究成果，特别是"八五"国家重点科技攻关项目（85-926-05-01）《黄河流域地下水资源及合理开发利用和截洪引渗地下调蓄技术研究》，完成黄河流域一级、二级地下水系统的划分。共划分一级地下水系统9个，二级地下水系统32个。本次黄河流域地下水系统划分较之以往研究，更加重视流域的概念，强调地下水的水力联系，即一级地下水系统基本上以地表分水岭和区域地质构造为边界圈定范围，二级系统主要考虑含水介质类型和水动力特征；考虑影响地下水系统形成的环境因素，即地貌、含水介质、降水及各种自然、人为因素等来确定边界。

参 考 文 献

[1] 曾燕，邱新法，刘昌明，等. 基于DEM的黄河流域天文辐射空间分布. 地理学报，2003，58(6)：810～816

[2] 邱新法. 起伏地形下太阳辐射分布式模型研究：[博士学位论文]. 南京：南京大学，2003

[3] 曾燕，邱新法，缪启龙，等. 起伏地形下我国可照时间的空间分布. 自然科学进展，2003，13(5)：545～548

[4] Valiente J A, Nunez M, Lopez-Baeza E, Mereno J F. Narrow-band to broad-band conversion for Meteosat-visible channel and broad-band albedo using both AVHRR-1 and -2 channels. Int. J. Remote Sens. 1995,16(6)：1147～1166

[5] 曾燕. 黄河流域实际蒸散分布式模型研究：[博士学位论文]. 北京：中国科学院地理科学与资源研究所，2004

[6] 杨胜天，刘昌明，王鹏新. 黄河流域土壤水分遥感估算. 地理科学进展，2003，22(5)：454～462

❶ 蒸散互补理论：即，在区域或流域尺度，实际蒸散与可能蒸散之间存在互补关系。该理论由Bouchet（1963）提出，Morton(1978,1983)后来进一步发展了这一理论。

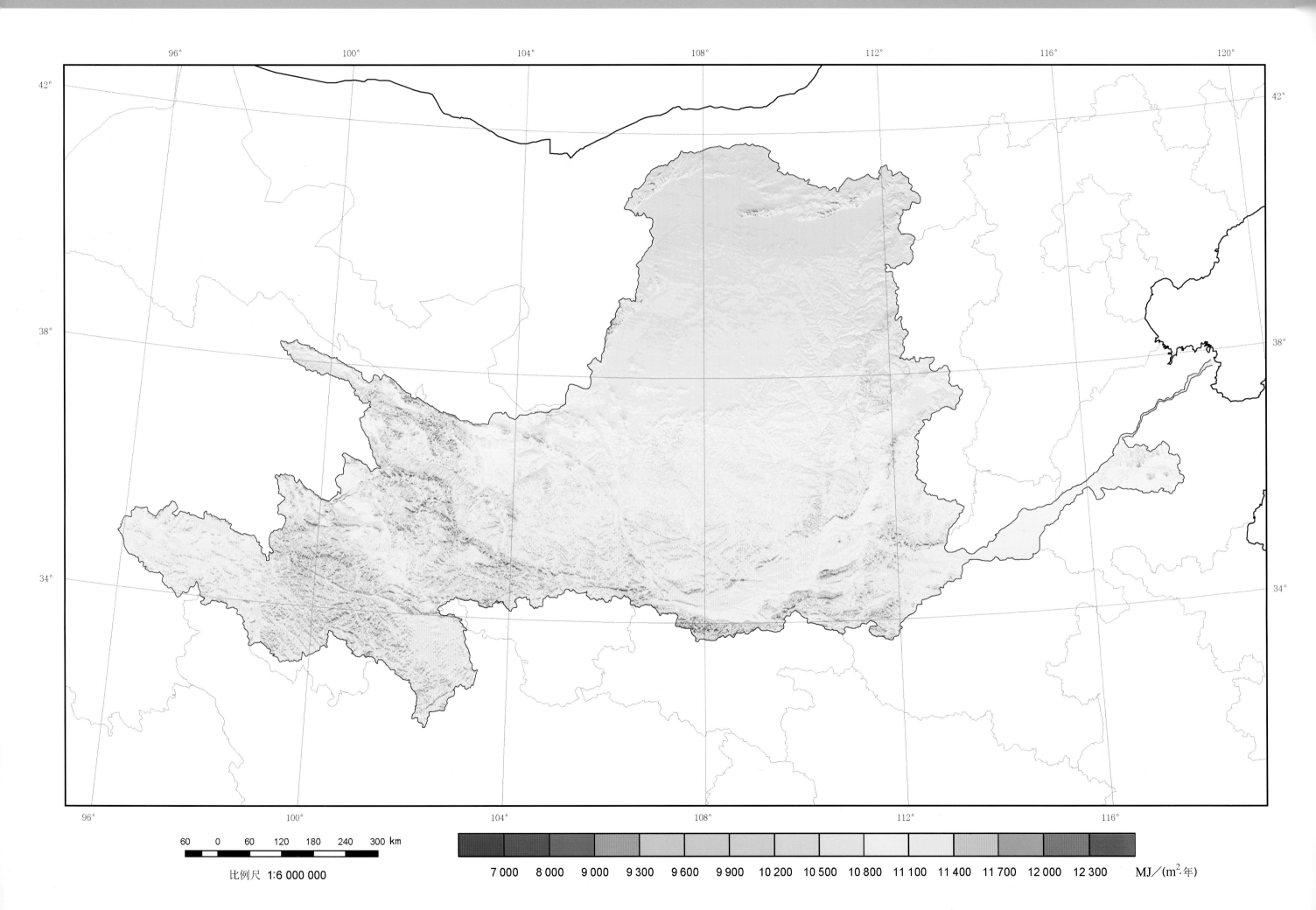

比例尺 1:6 000 000

| | 7 000 | 8 000 | 9 000 | 9 300 | 9 600 | 9 900 | 10 200 | 10 500 | 10 800 | 11 100 | 11 400 | 11 700 | 12 000 | 12 300 | MJ／(m².年) |

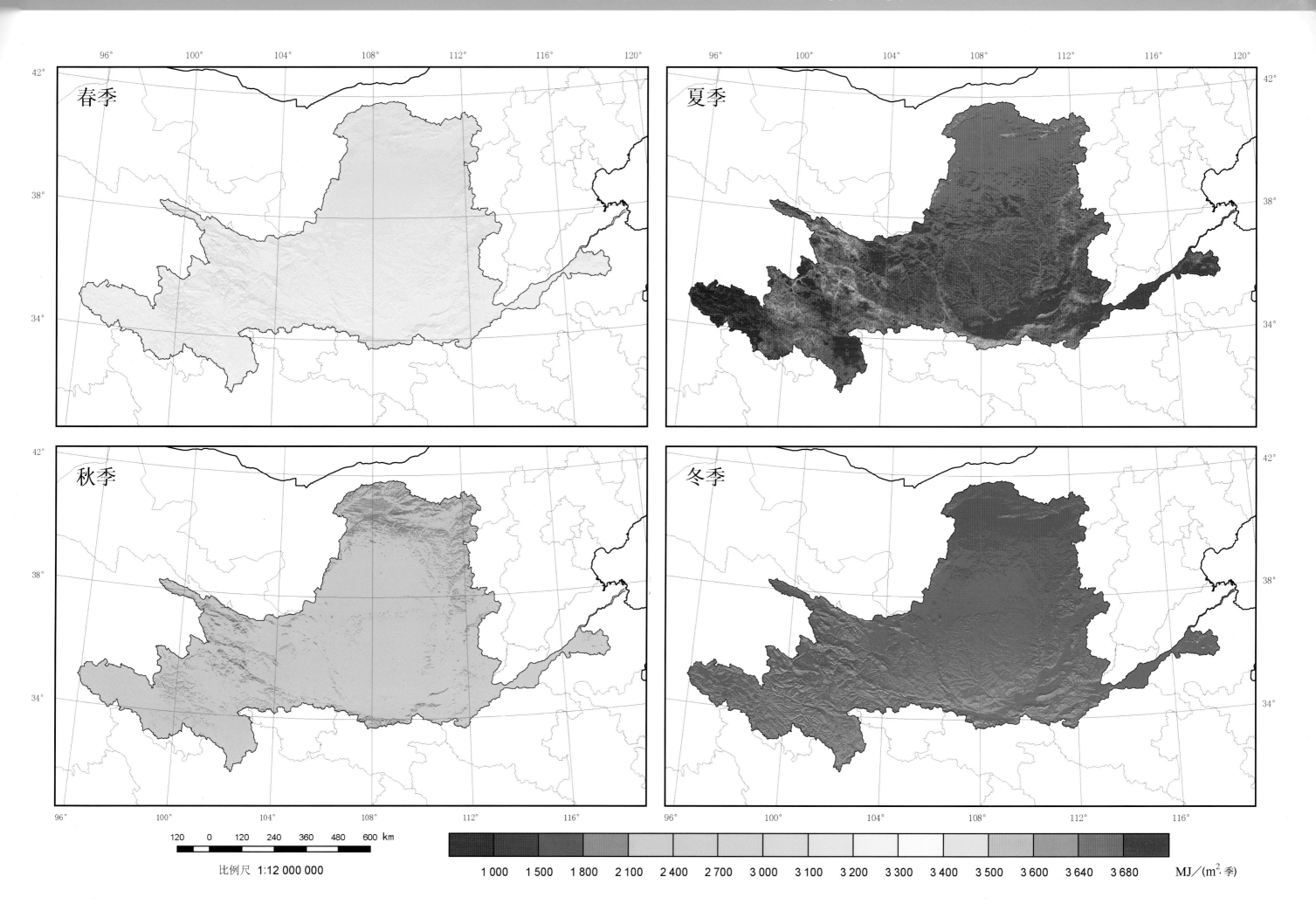

春季

夏季

秋季

冬季

比例尺 1:12 000 000

120 0 120 240 360 480 600 km

1 000 1 500 1 800 2 100 2 400 2 700 3 000 3 100 3 200 3 300 3 400 3 500 3 600 3 640 3 680   MJ/(m²·季)

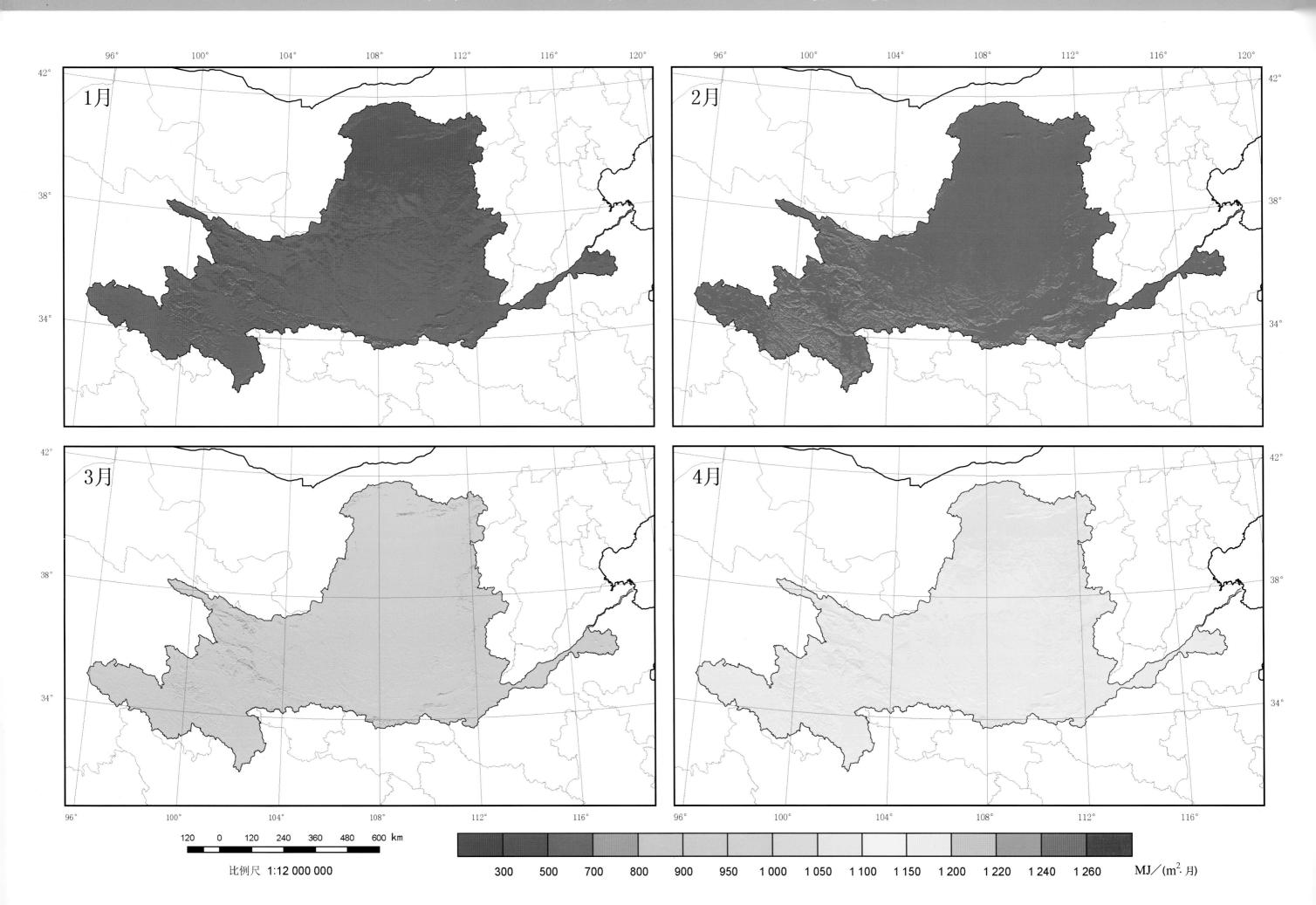

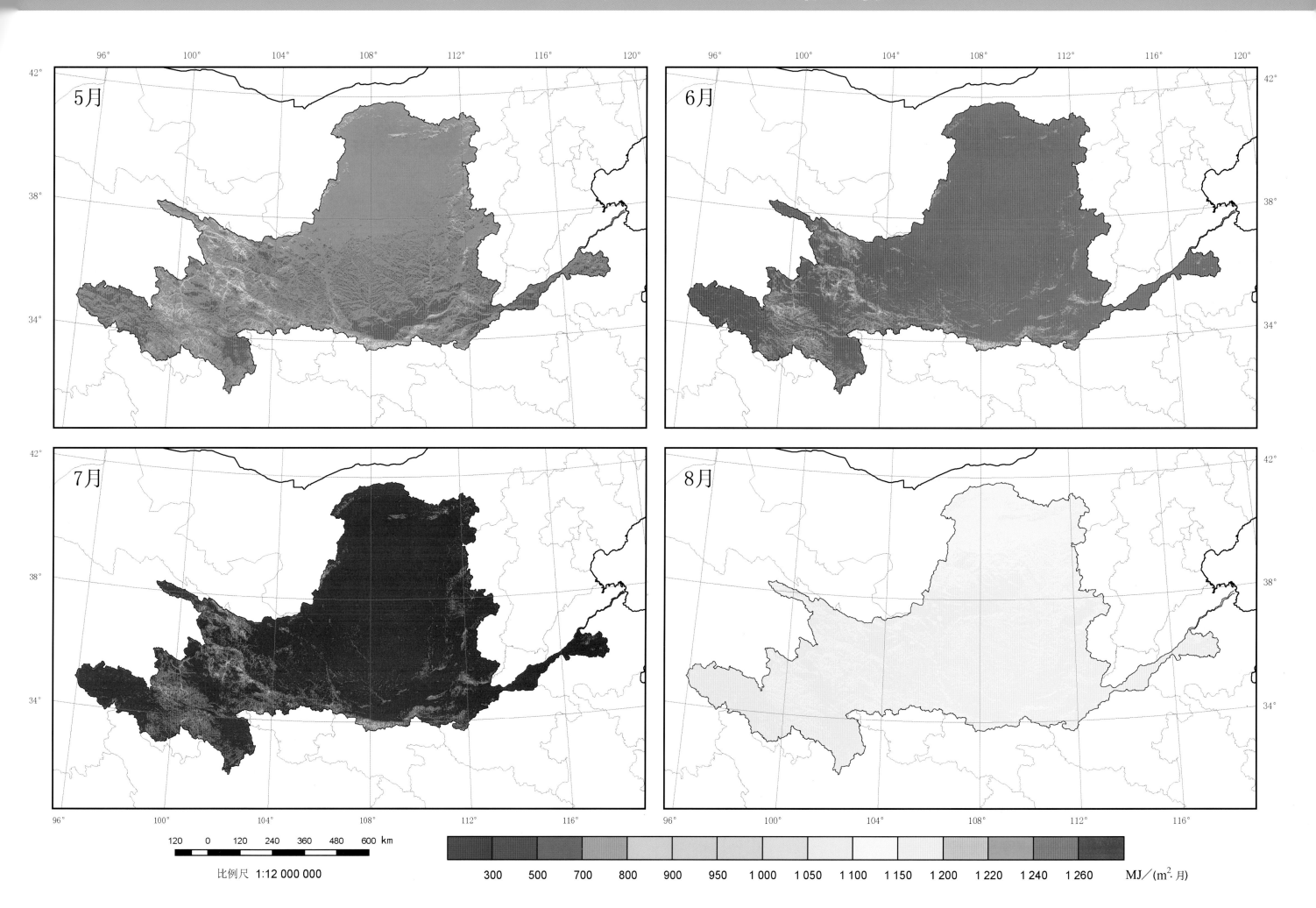

比例尺 1:12 000 000

300　500　700　800　900　950　1 000　1 050　1 100　1 150　1 200　1 220　1 240　1 260　MJ/(m². 月)

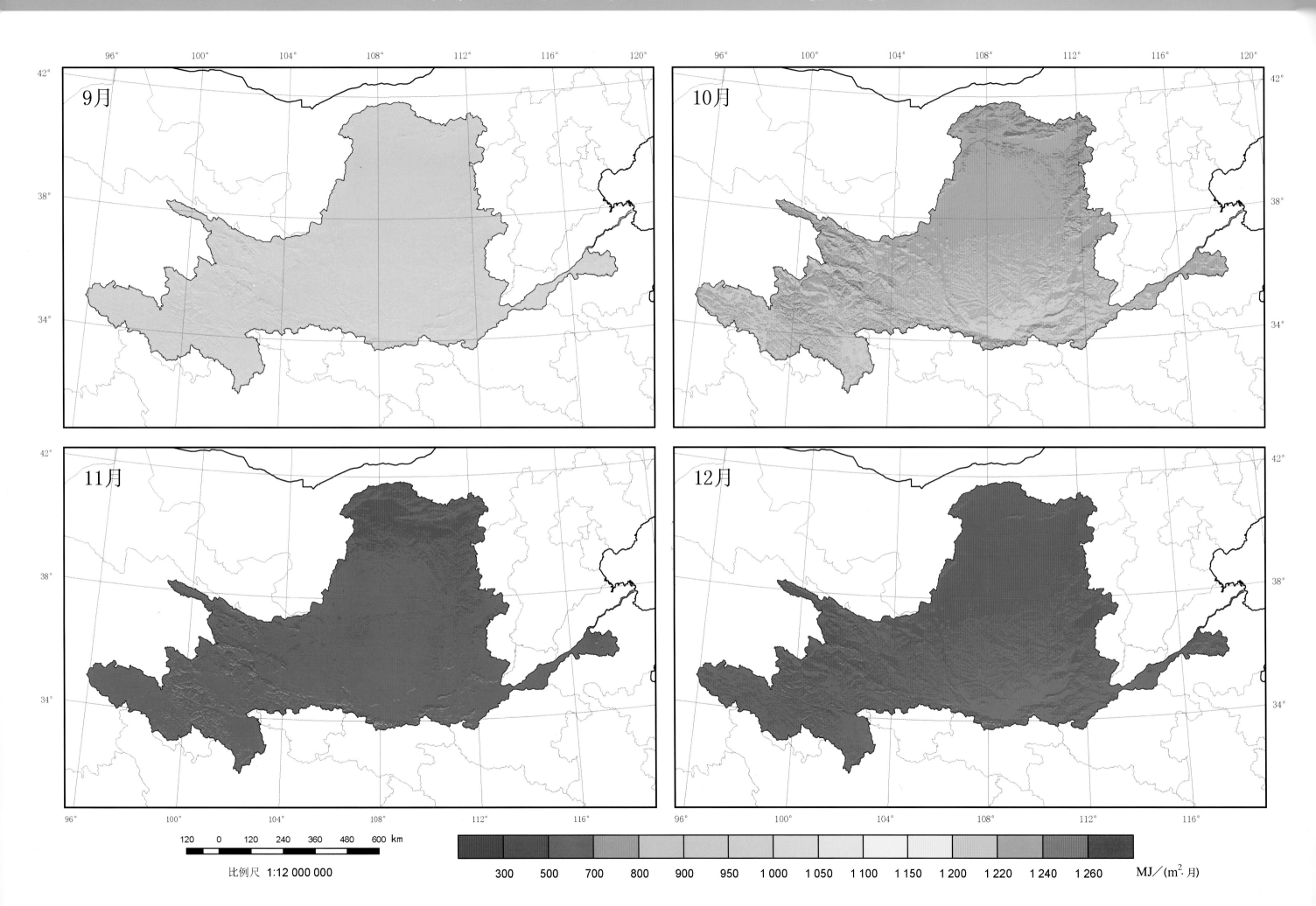

9月

10月

11月

12月

比例尺 1:12 000 000
120 0 120 240 360 480 600 km

300 500 700 800 900 950 1 000 1 050 1 100 1 150 1 200 1 220 1 240 1 260 MJ／(m².月)

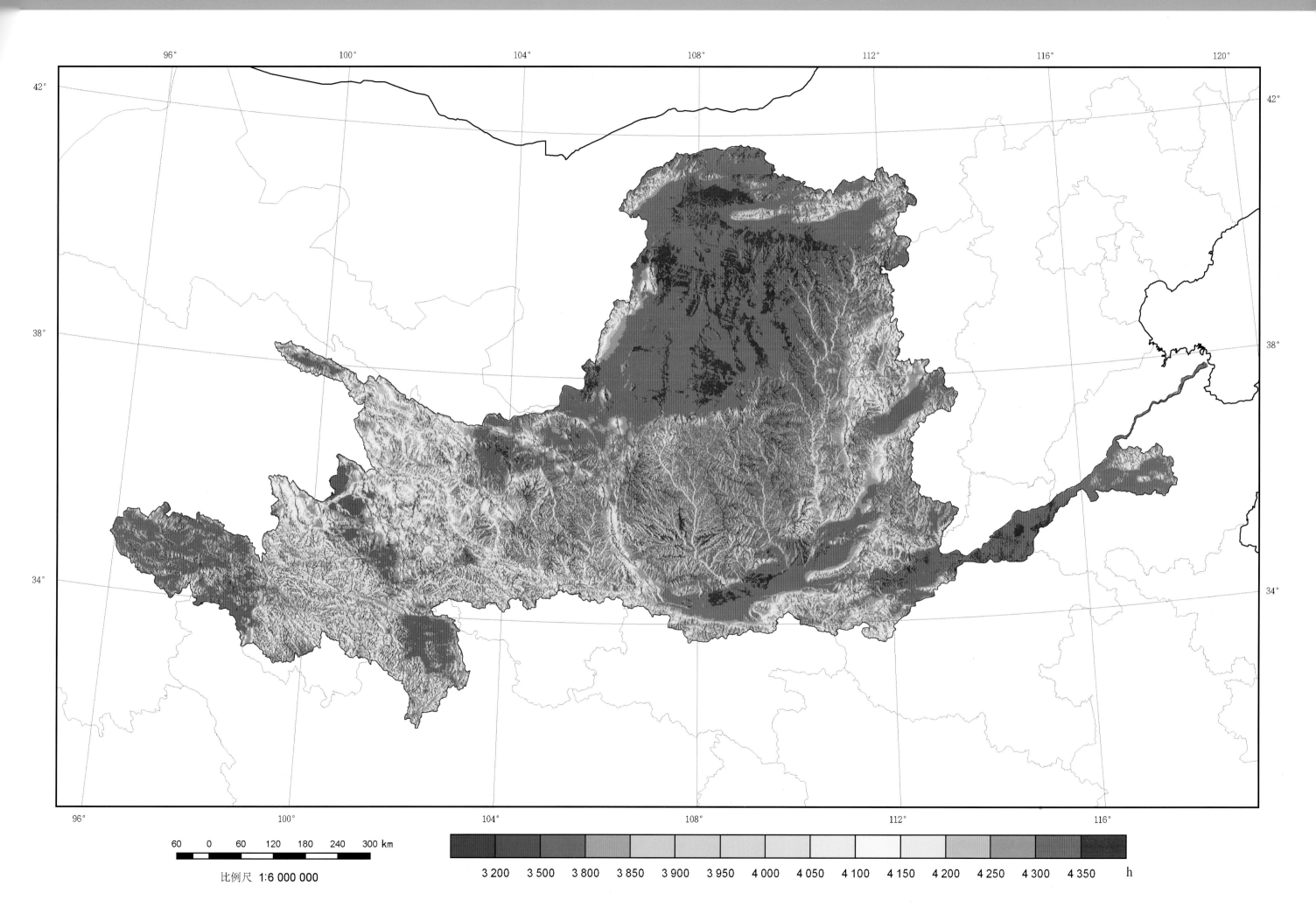

比例尺 1:6 000 000

60 0 60 120 180 240 300 km

3 200　3 500　3 800　3 850　3 900　3 950　4 000　4 050　4 100　4 150　4 200　4 250　4 300　4 350　h

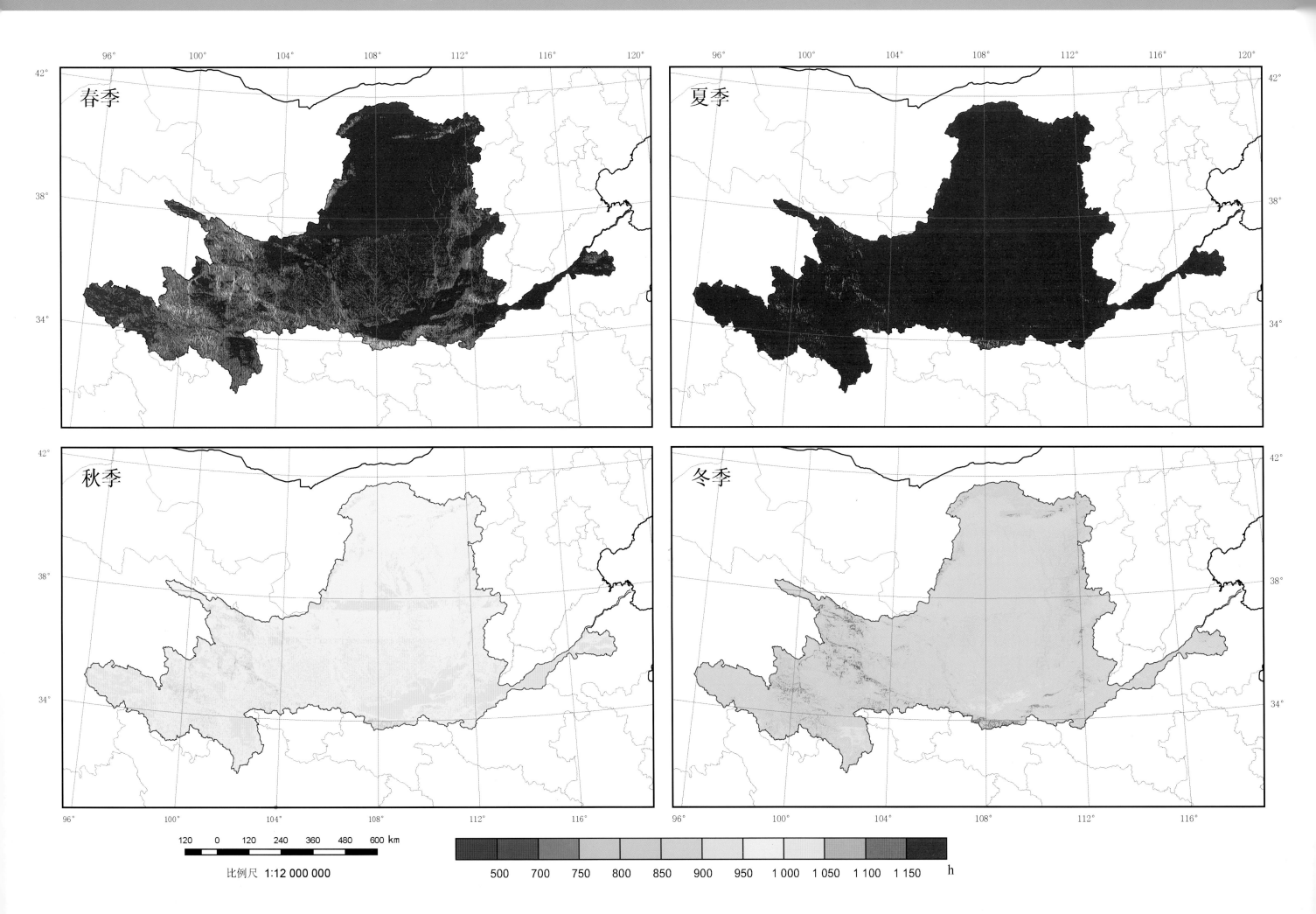

春季

夏季

秋季

冬季

120　0　120　240　360　480　600 km

比例尺 1:12 000 000

500　700　750　800　850　900　950　1 000　1 050　1 100　1 150　h

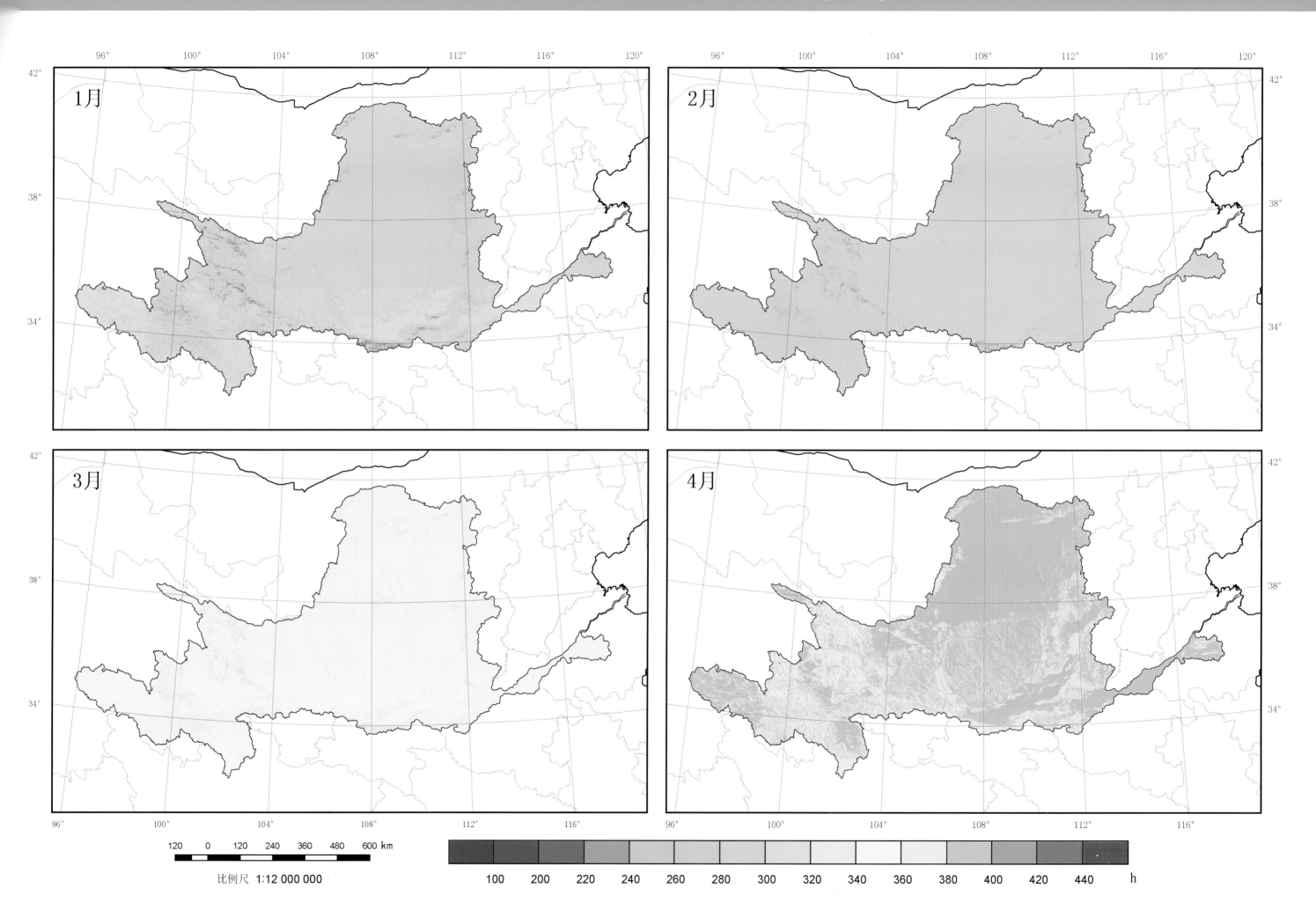

黄 河 流 域 月 可 照 时 间

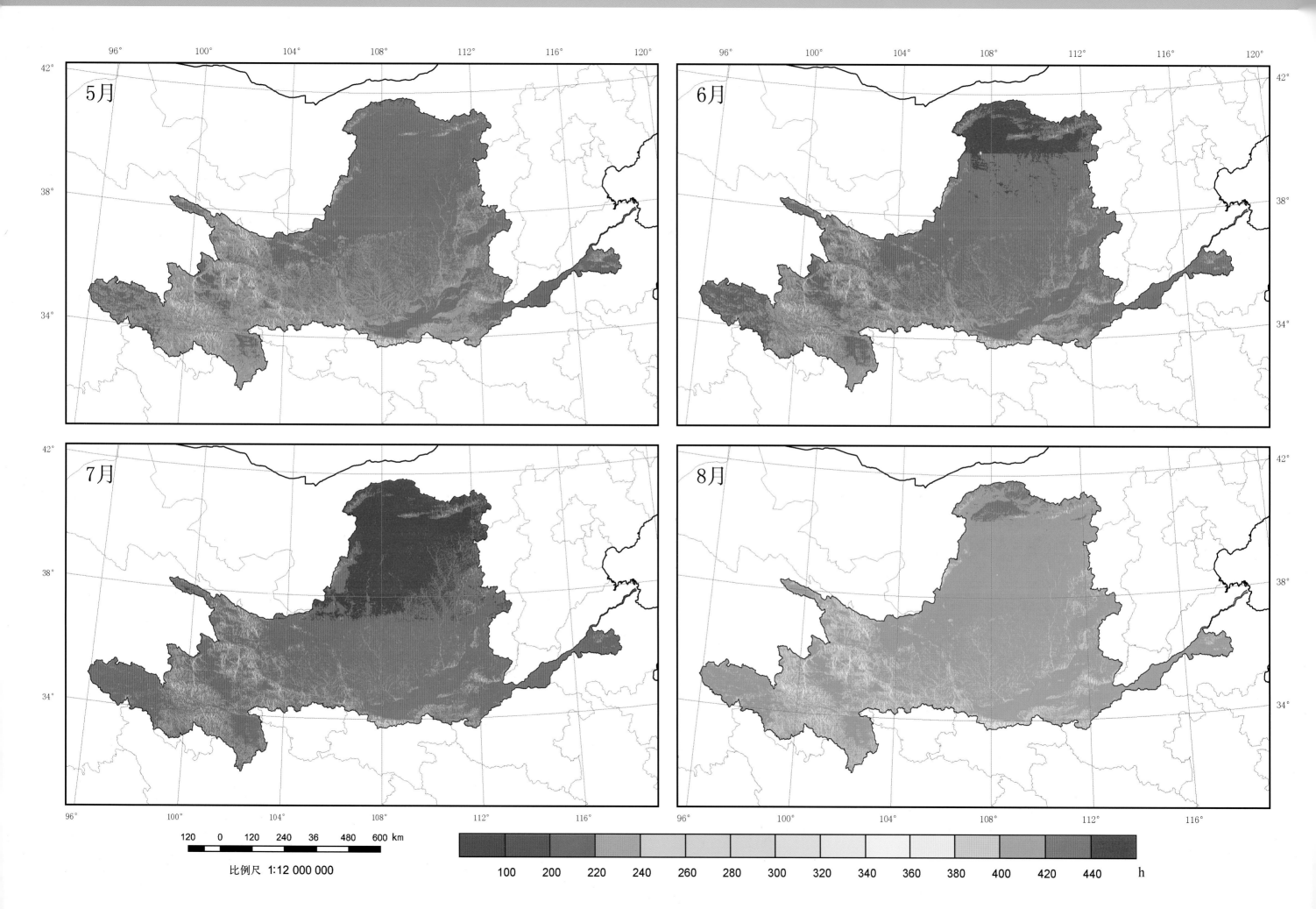

比例尺 1:12 000 000

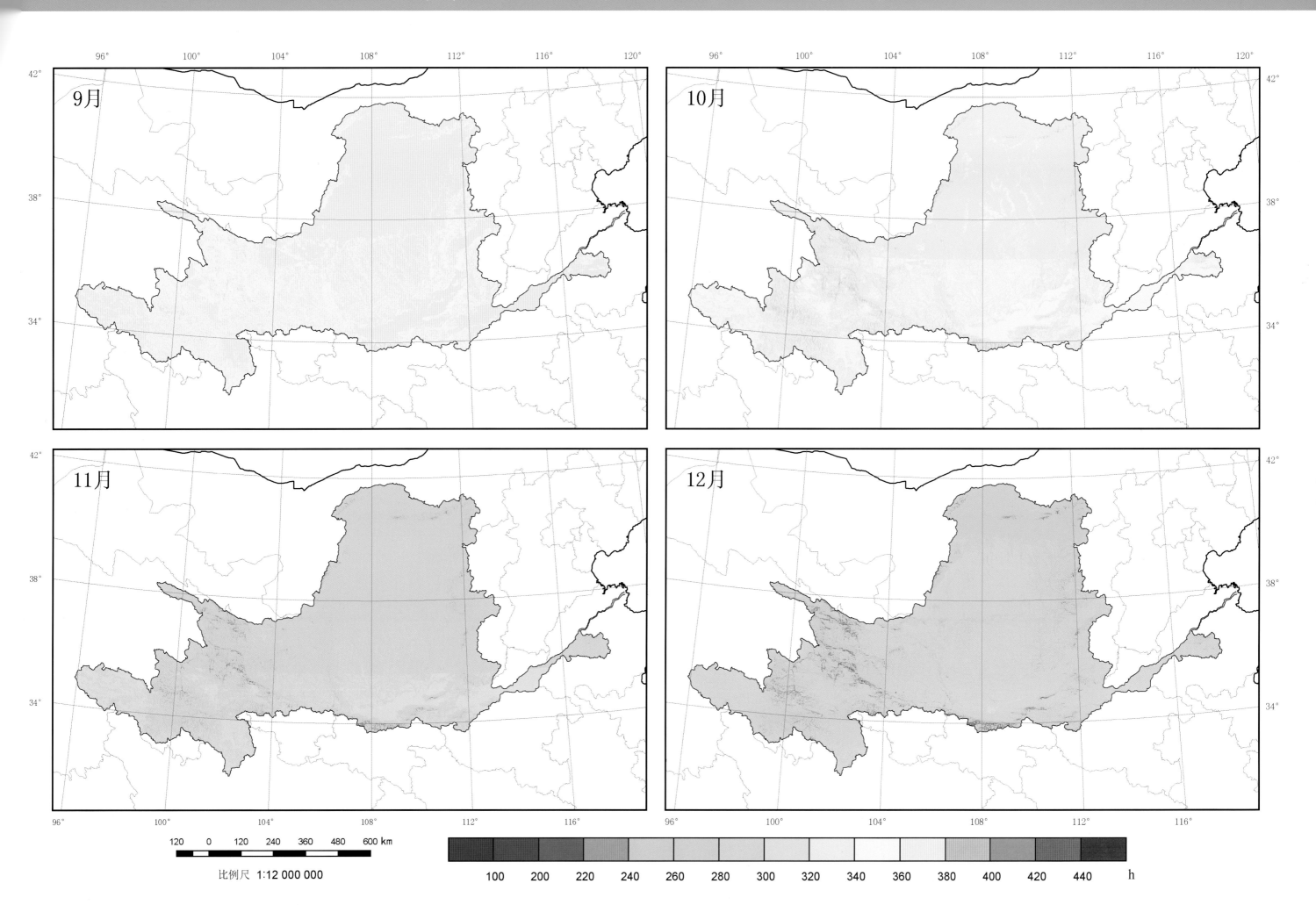

比例尺 1:12 000 000

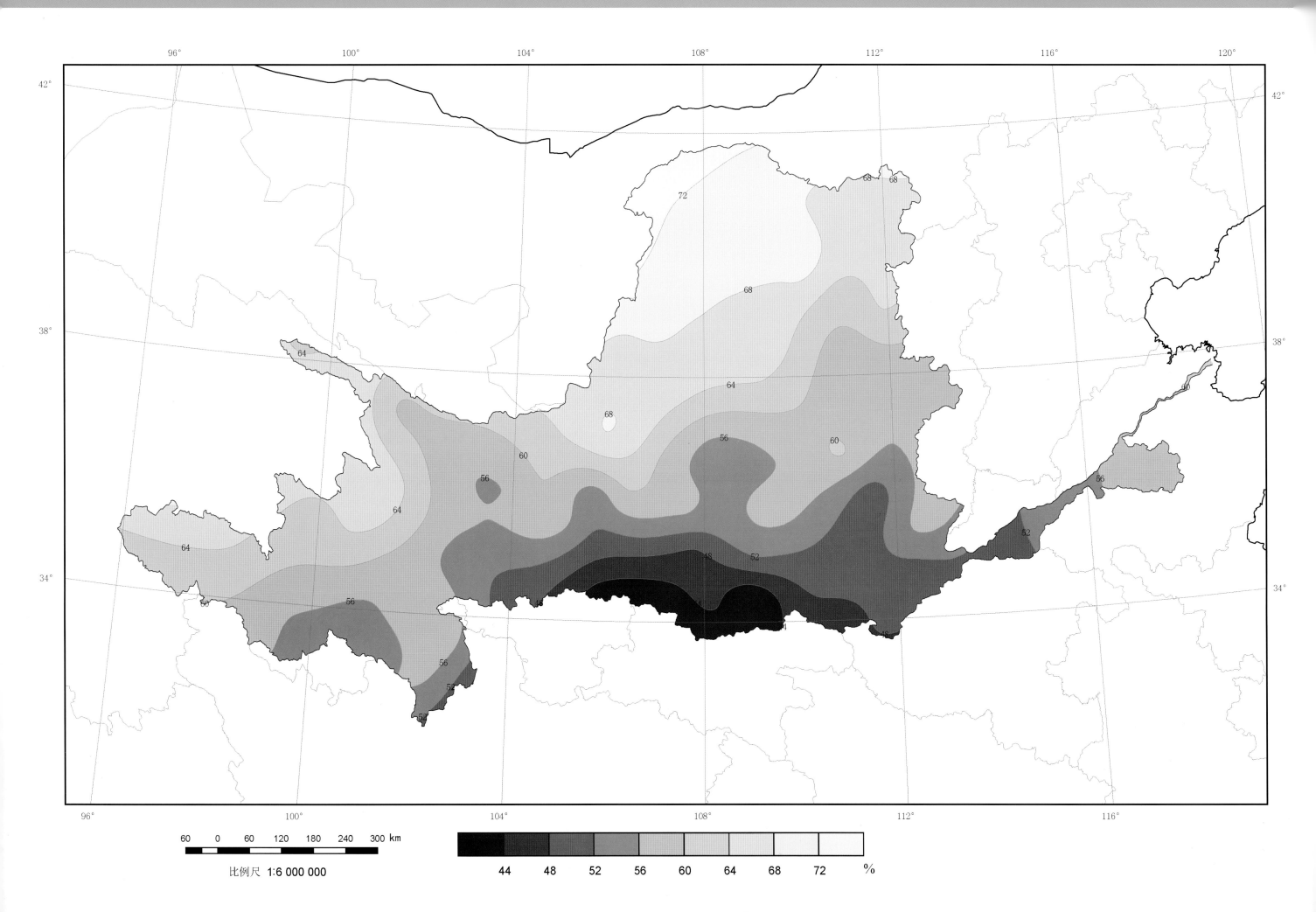

比例尺 1:6 000 000

44　48　52　56　60　64　68　72　%

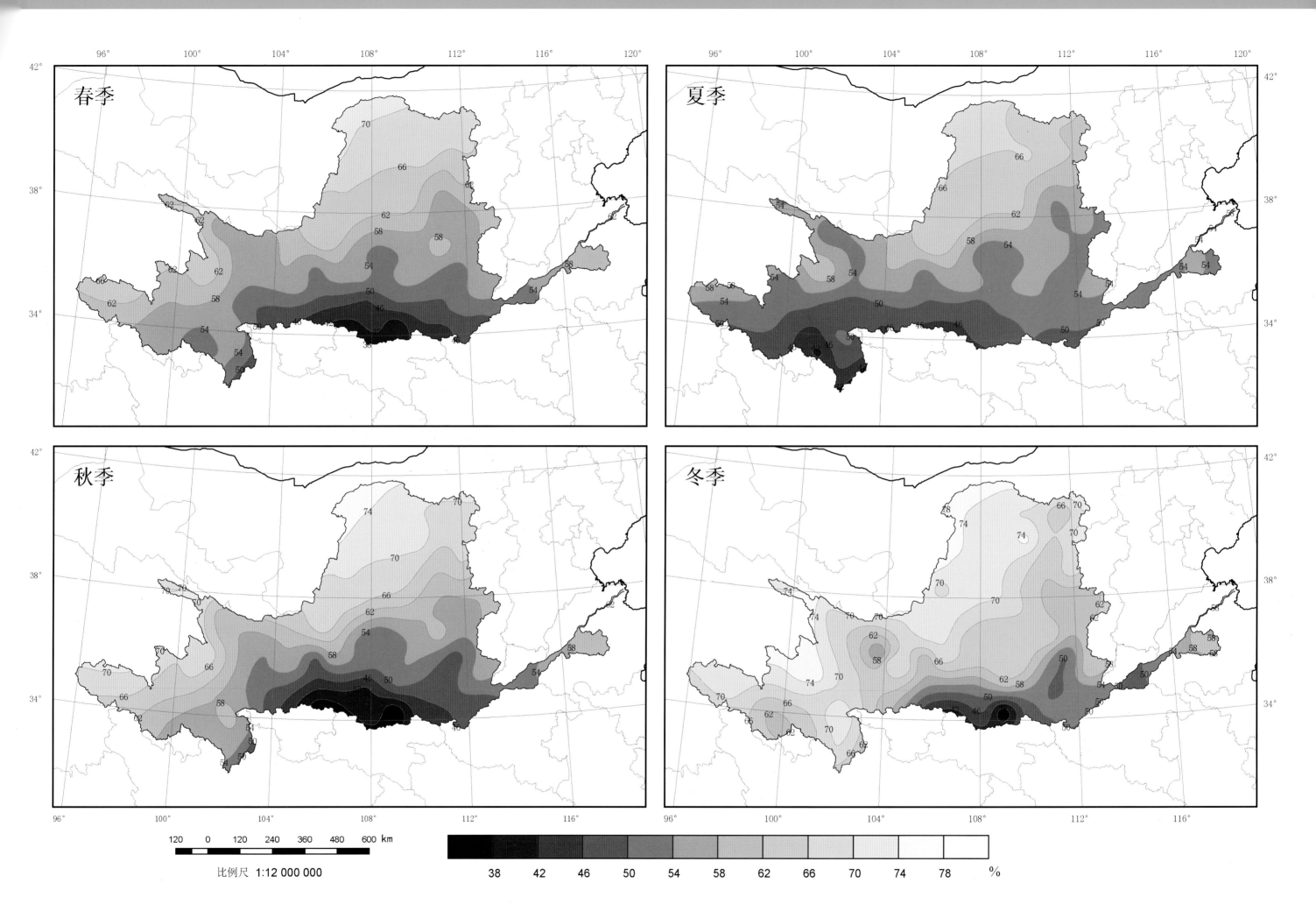

春季

夏季

秋季

冬季

120 0 120 240 360 480 600 km

比例尺 1:12 000 000

38 42 46 50 54 58 62 66 70 74 78 %

黄 河 流 域 月 日 照 百 分 率

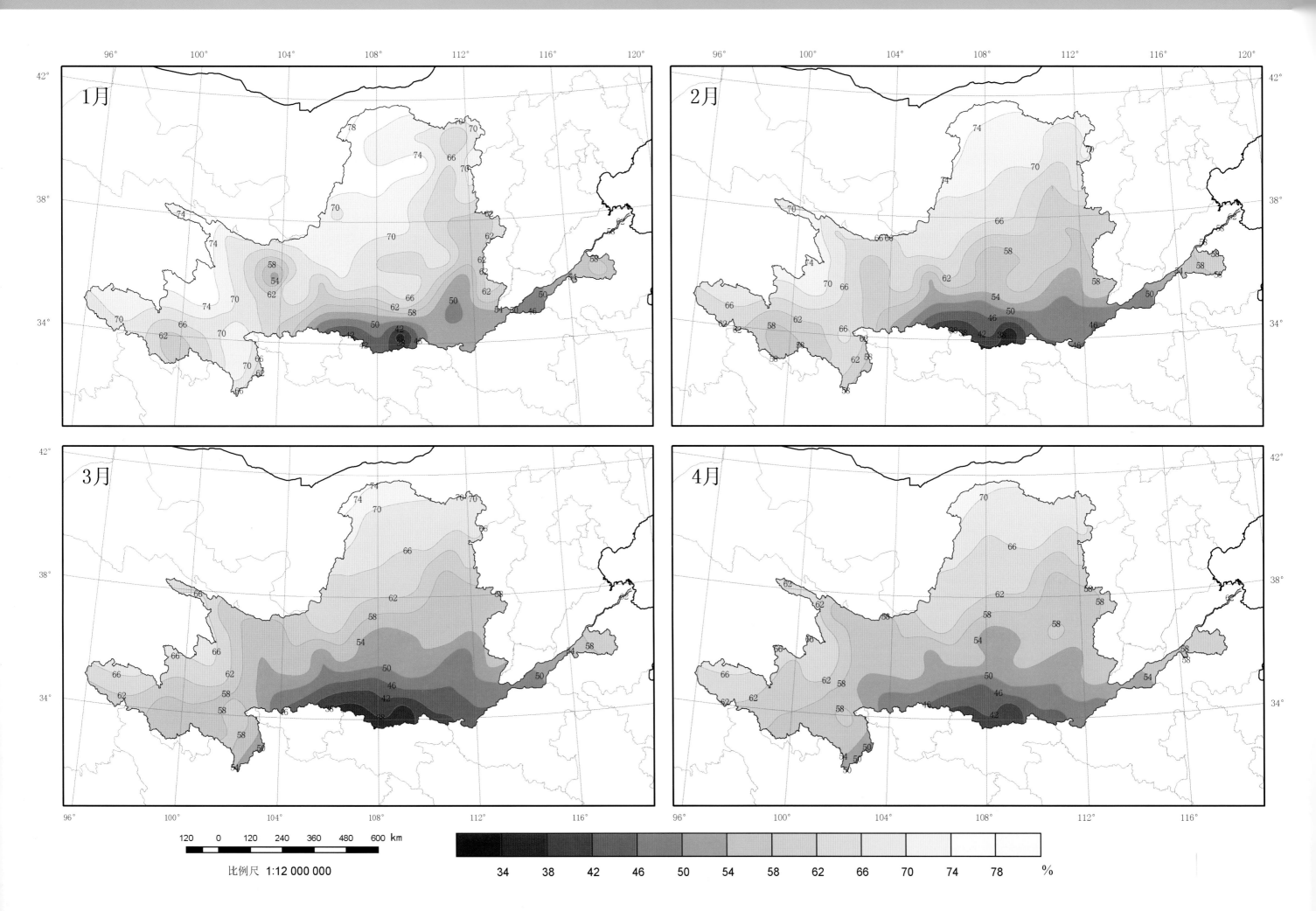

比例尺 1:12 000 000

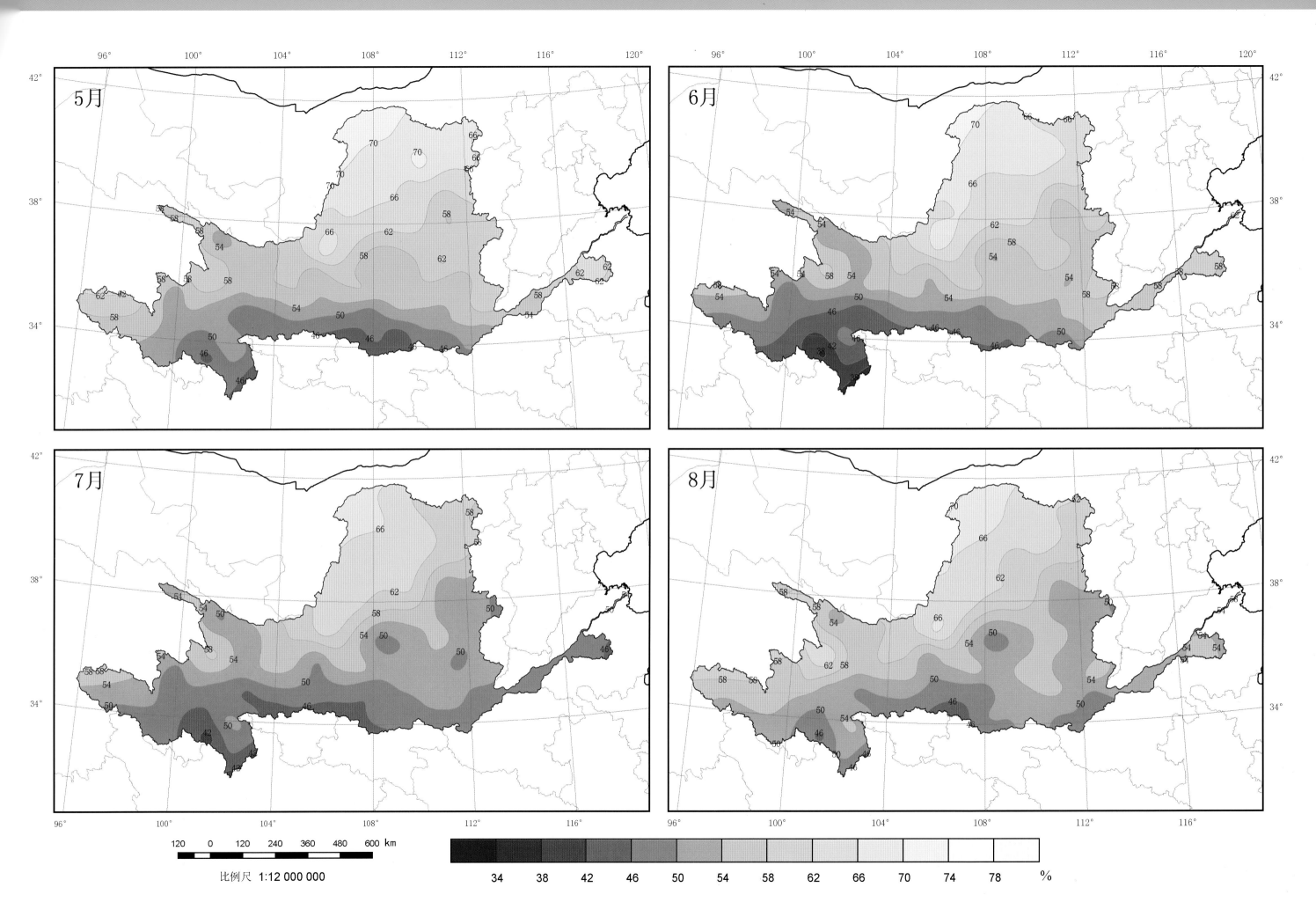

比例尺 1:12 000 000

34　38　42　46　50　54　58　62　66　70　74　78　%

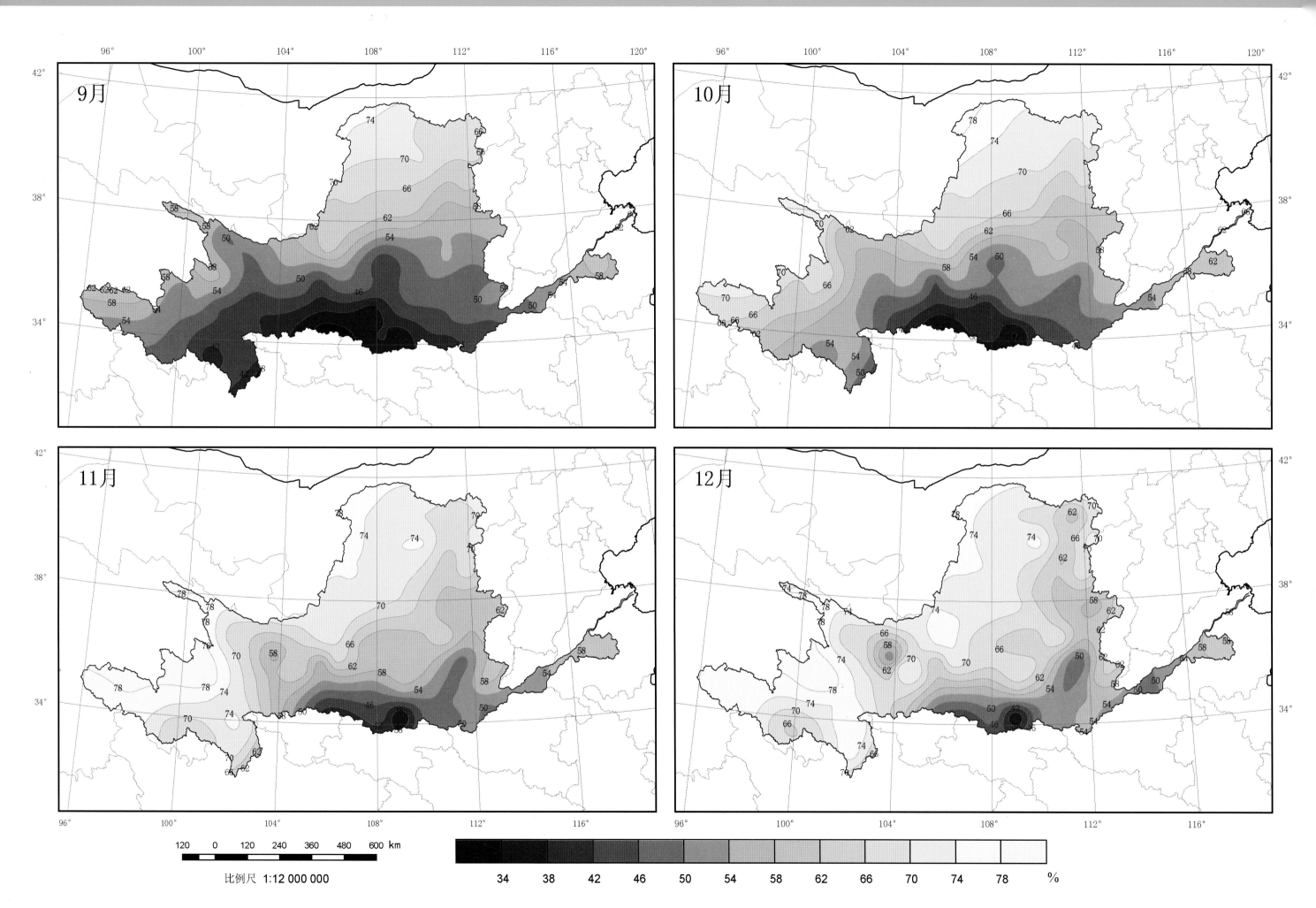

比例尺　1:12 000 000

34　38　42　46　50　54　58　62　66　70　74　78　%

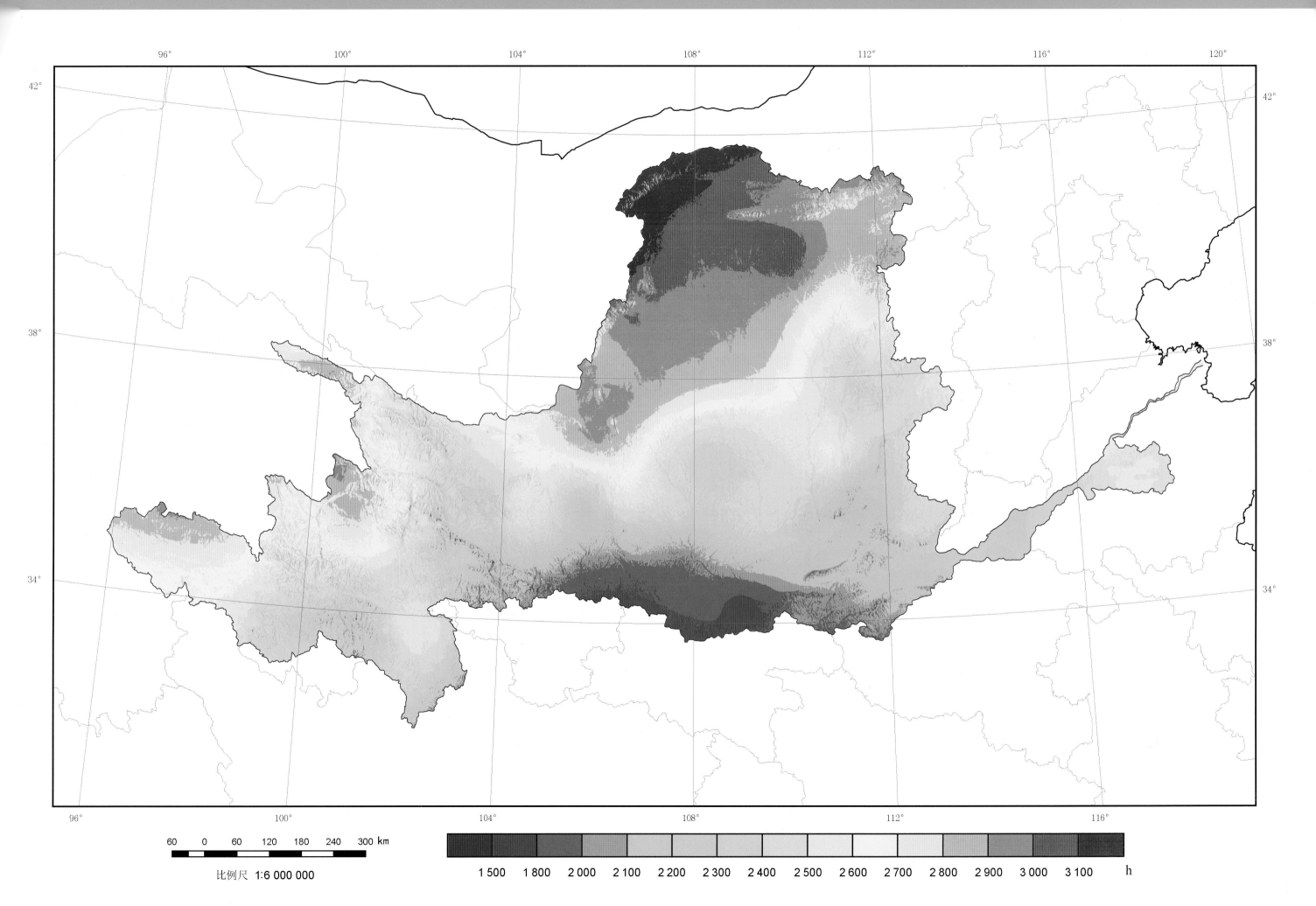

比例尺 1:6 000 000

1 500 1 800 2 000 2 100 2 200 2 300 2 400 2 500 2 600 2 700 2 800 2 900 3 000 3 100 h

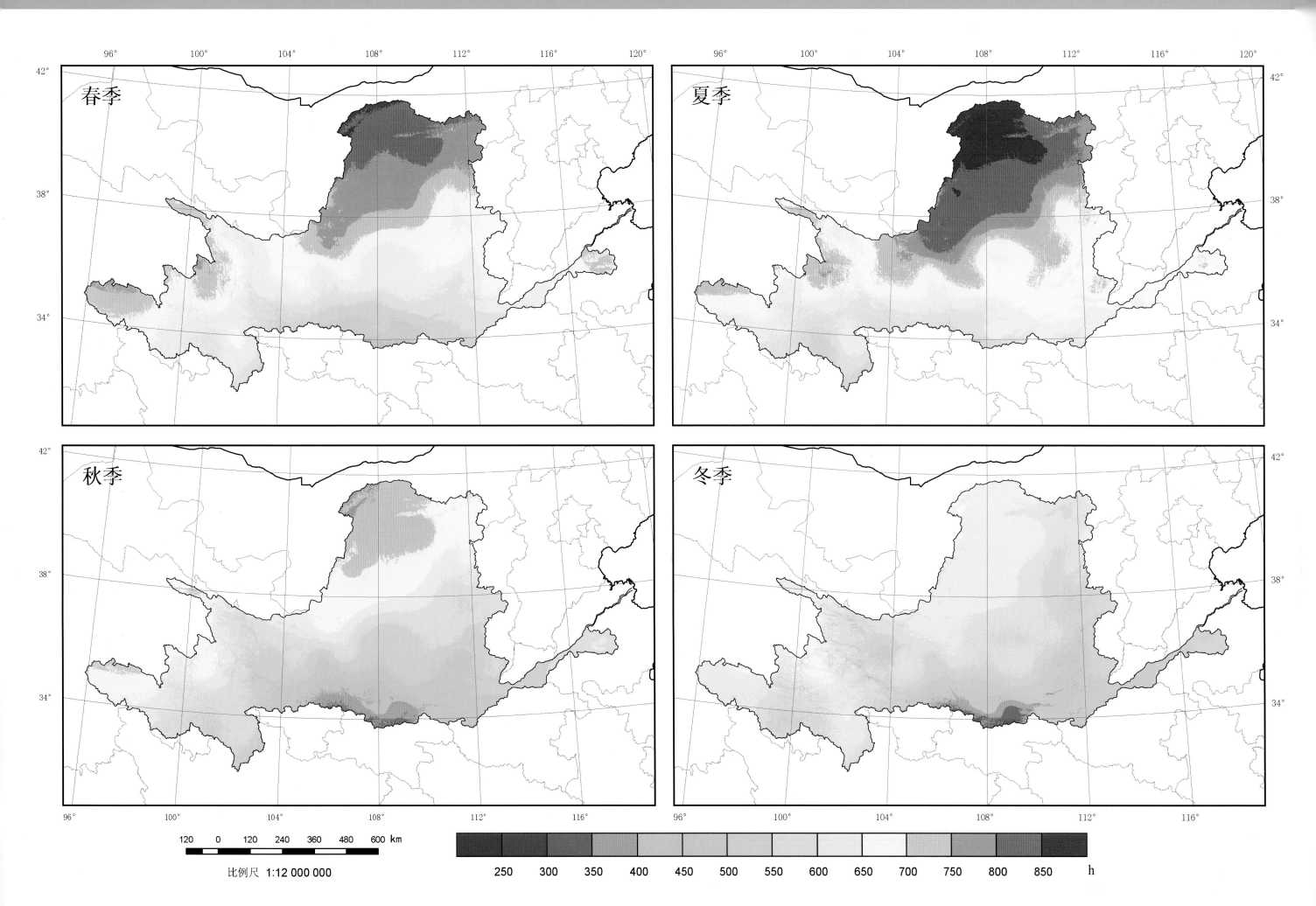

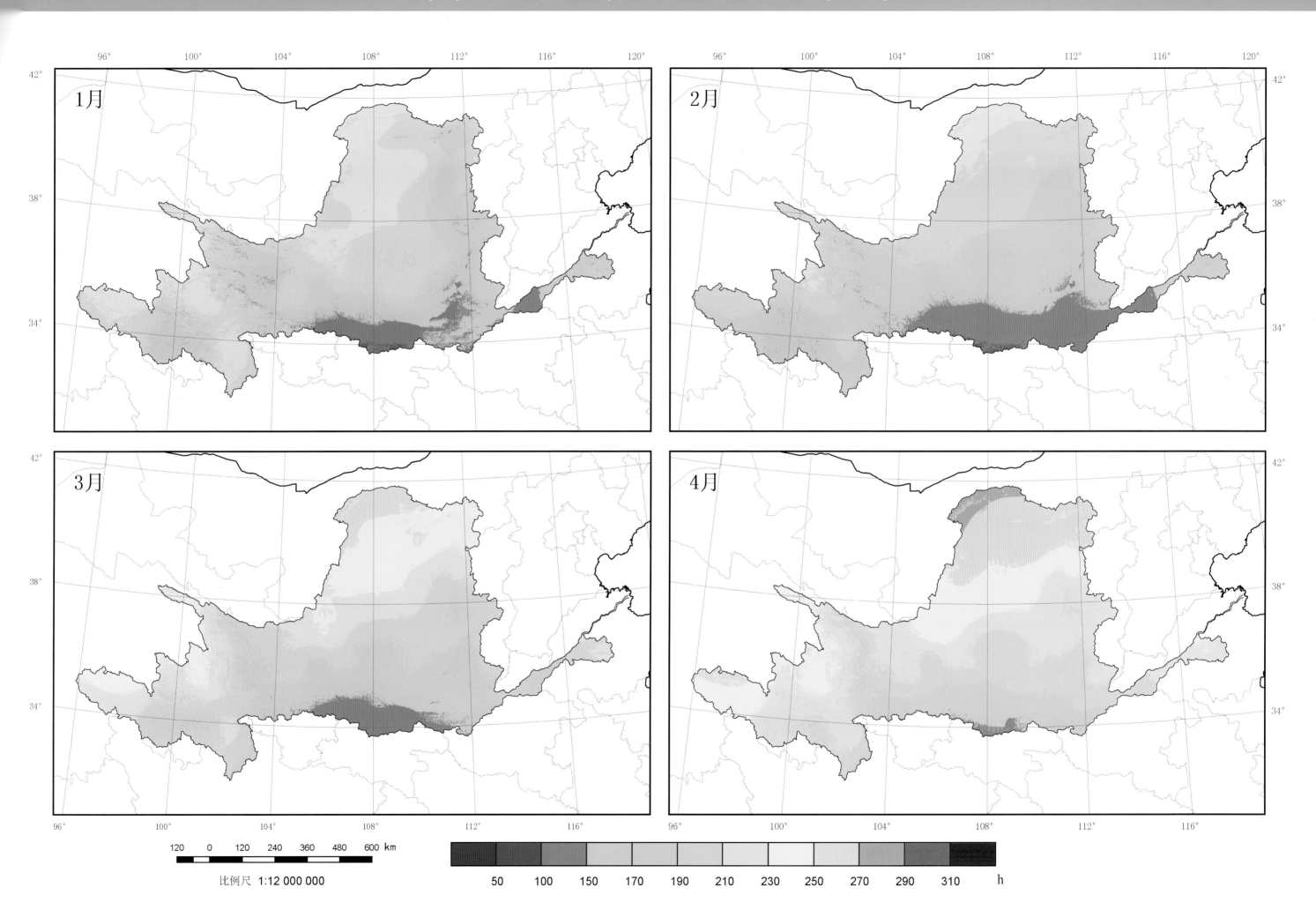

比例尺 1:12 000 000

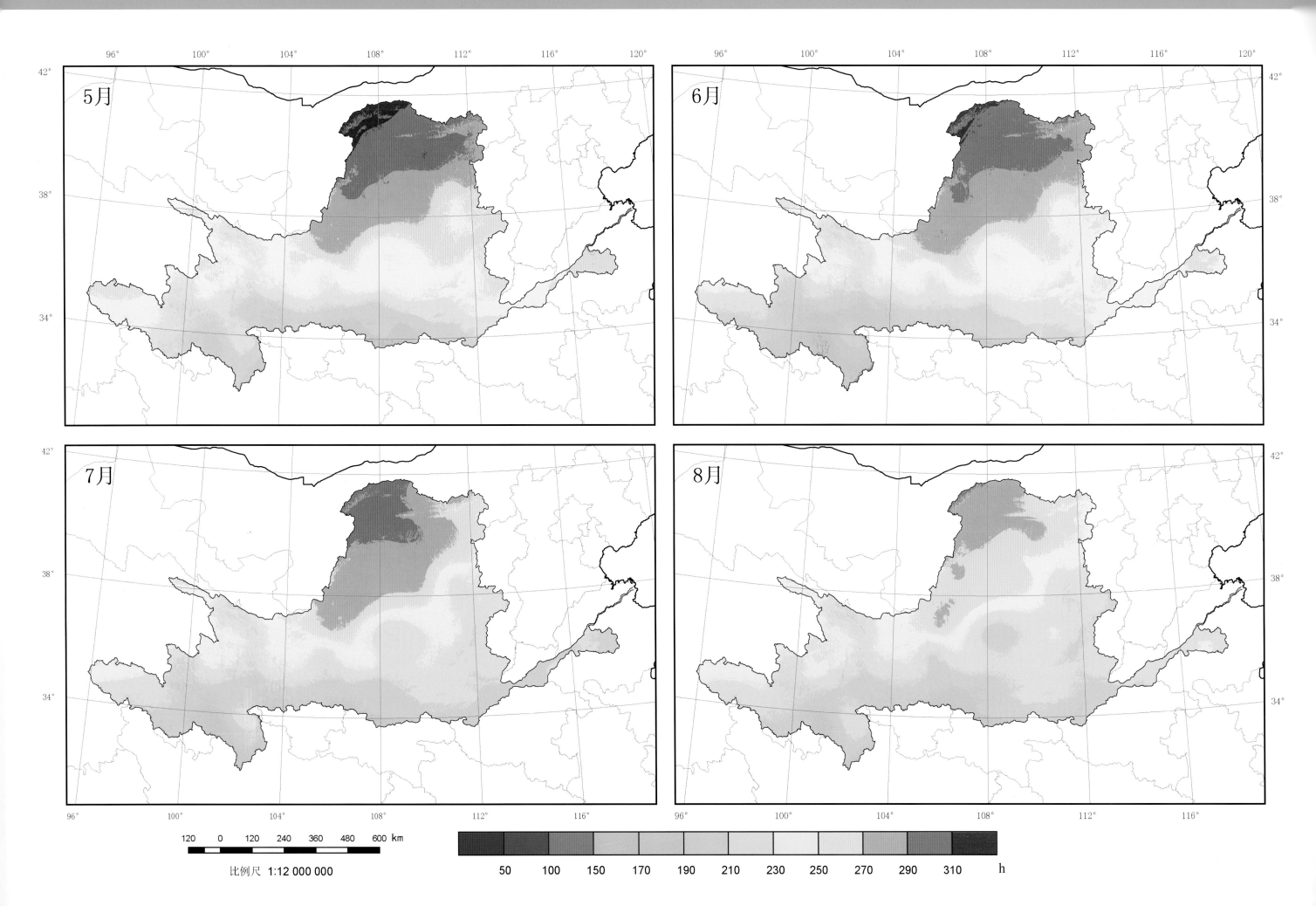

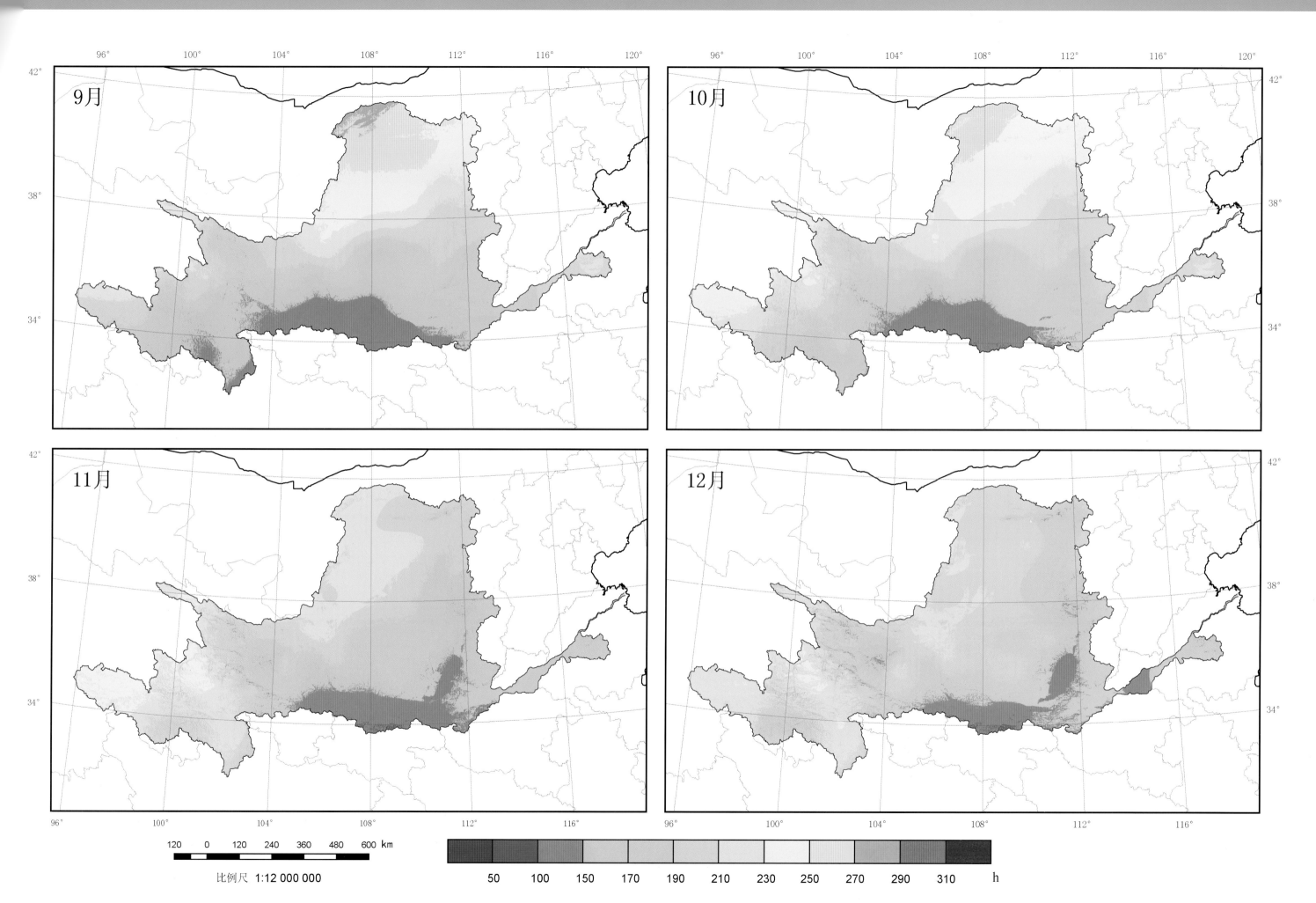

比例尺 1:12 000 000

50 100 150 170 190 210 230 250 270 290 310 h

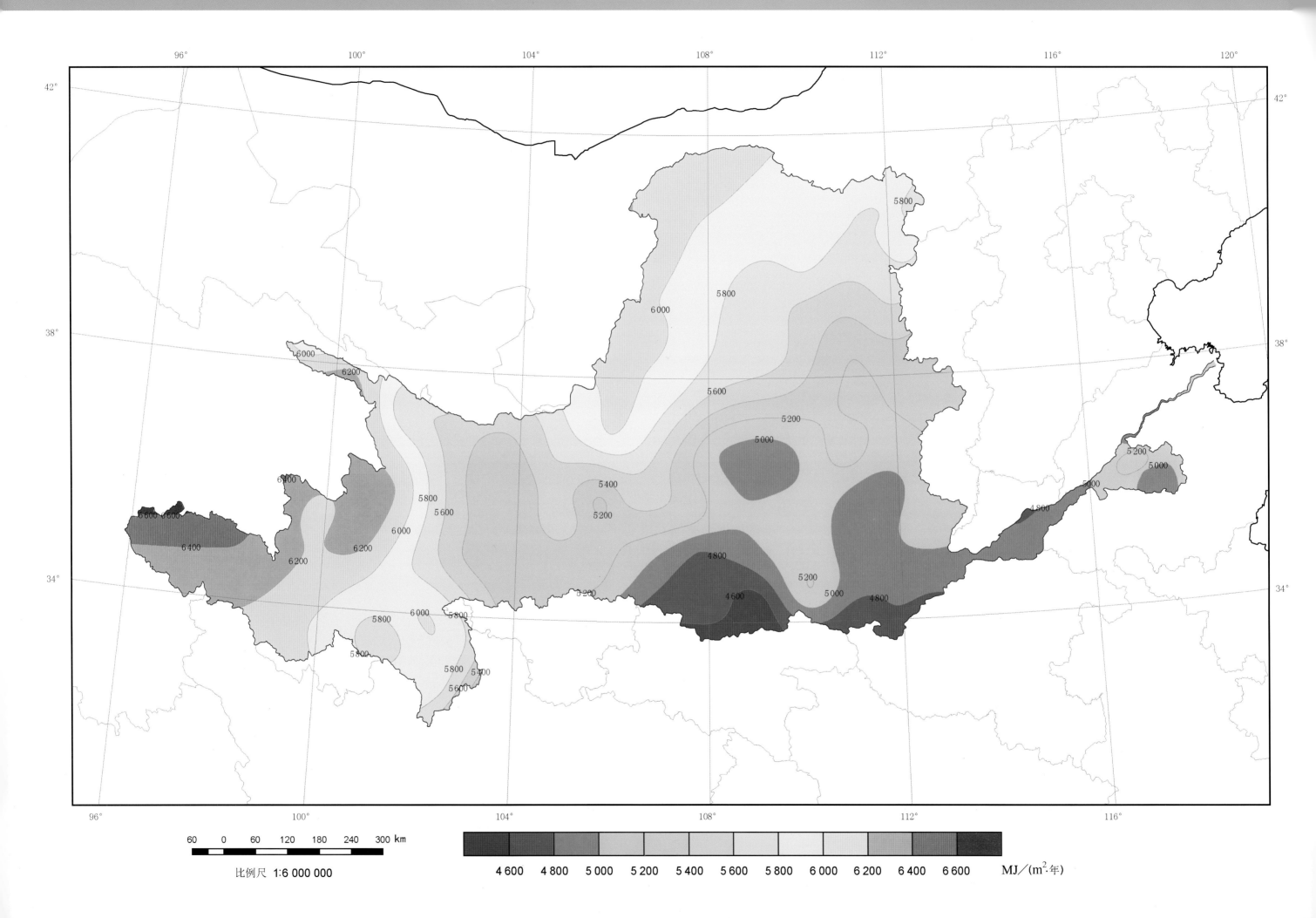

比例尺 1:6 000 000

MJ/(m²·年)

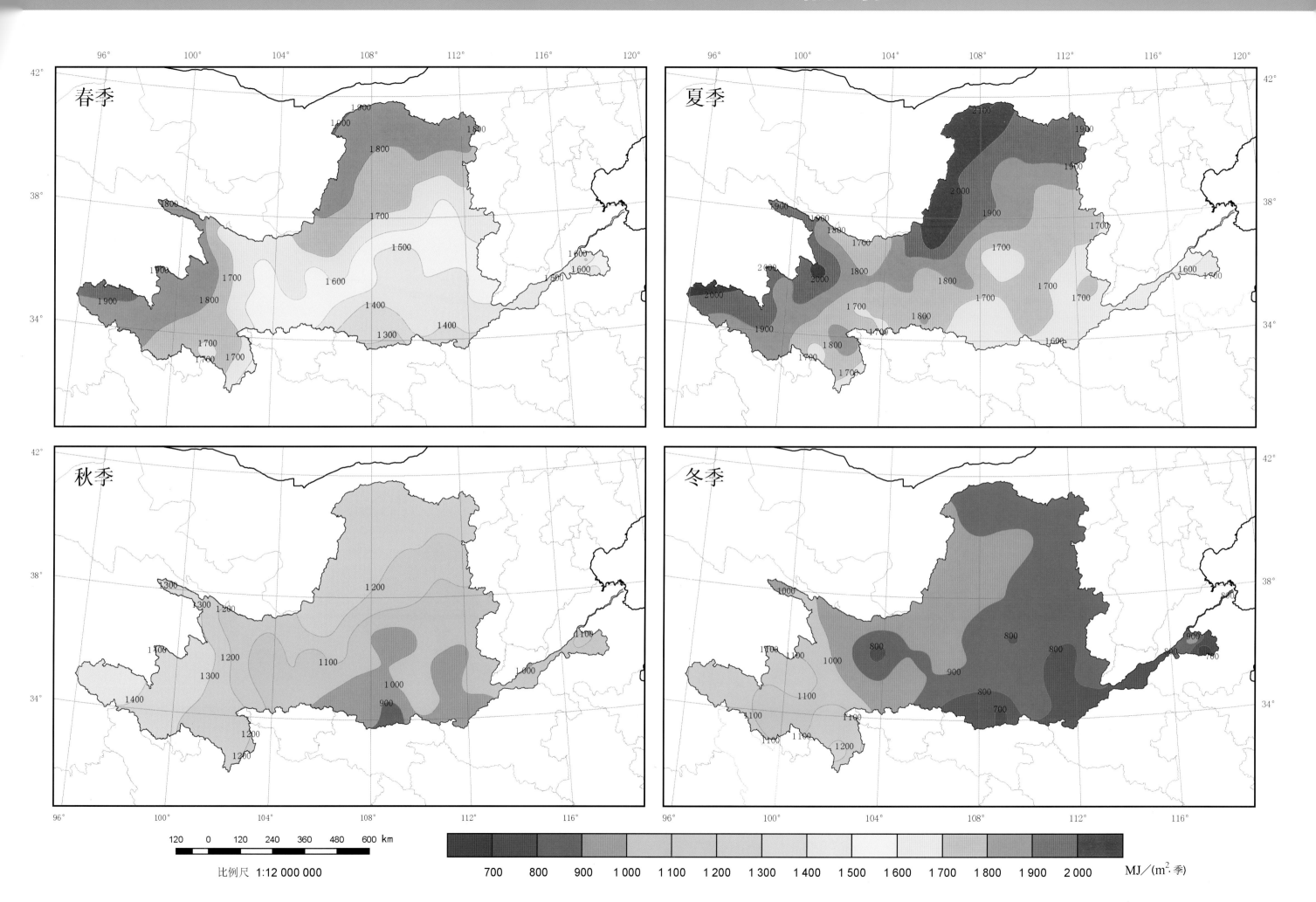

黄河流域月总辐射

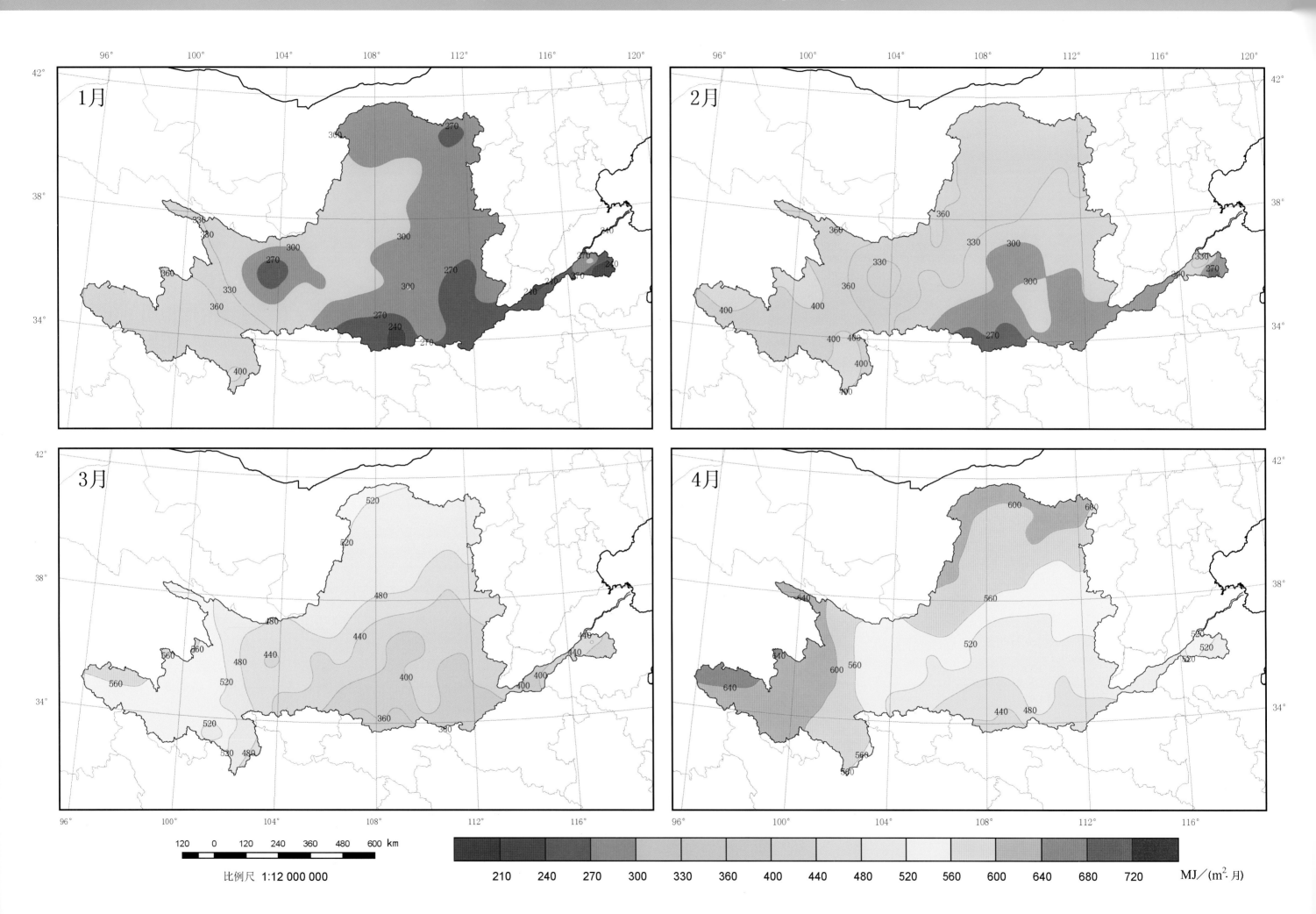

比例尺 1:12 000 000

MJ／(m². 月)

黄河流域月总辐射

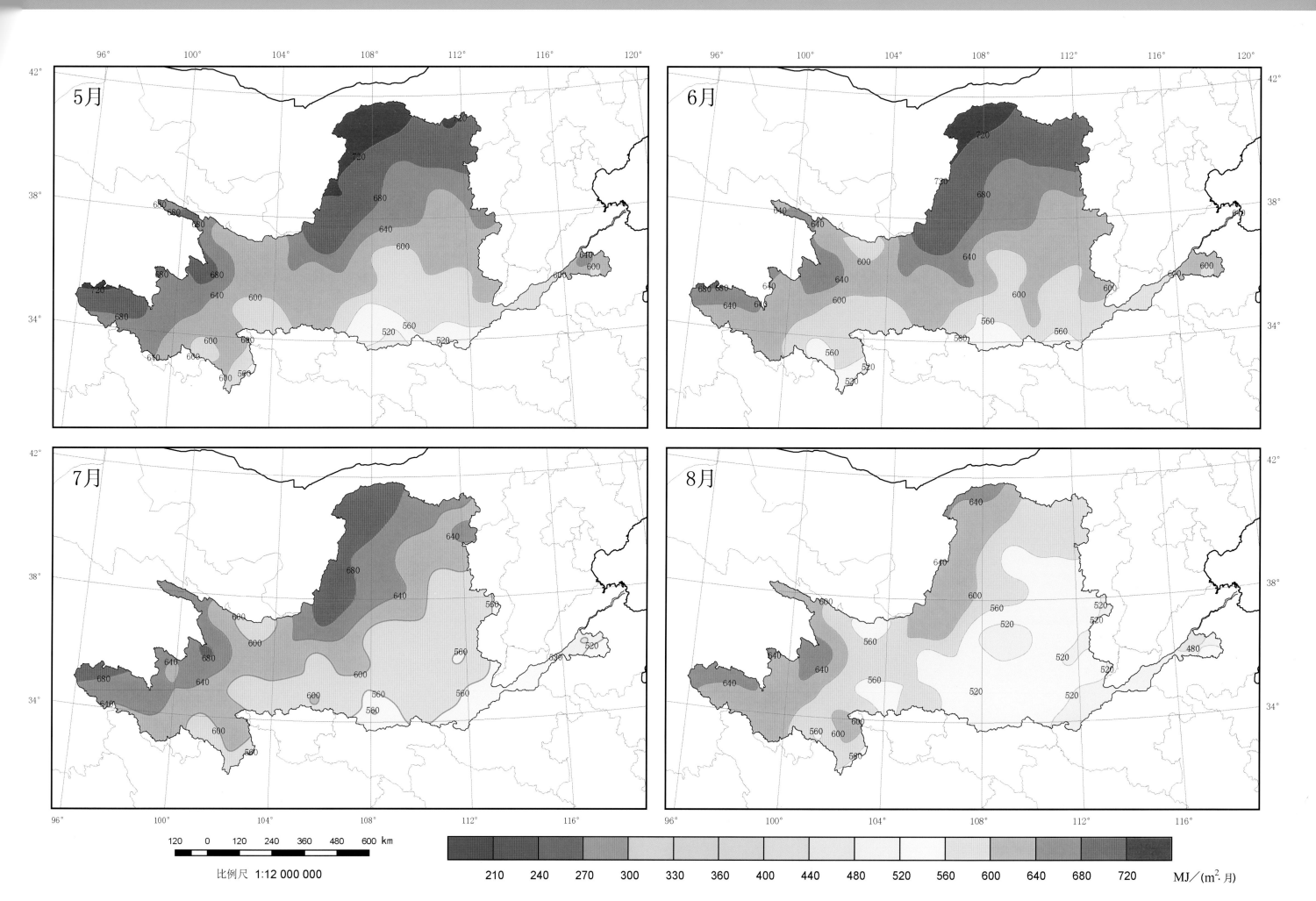

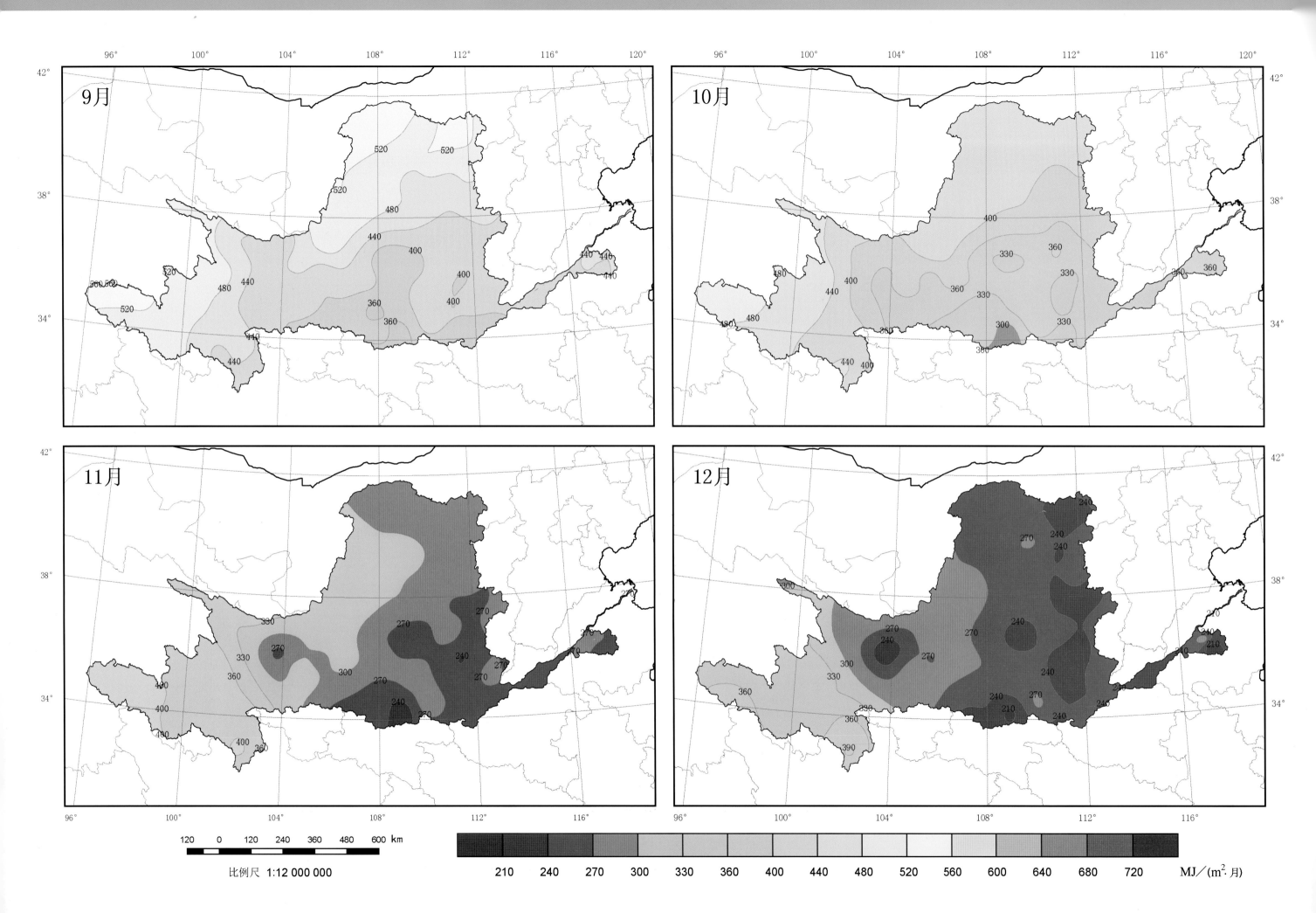

比例尺 1:12 000 000

210 240 270 300 330 360 400 440 480 520 560 600 640 680 720 MJ／(m². 月)

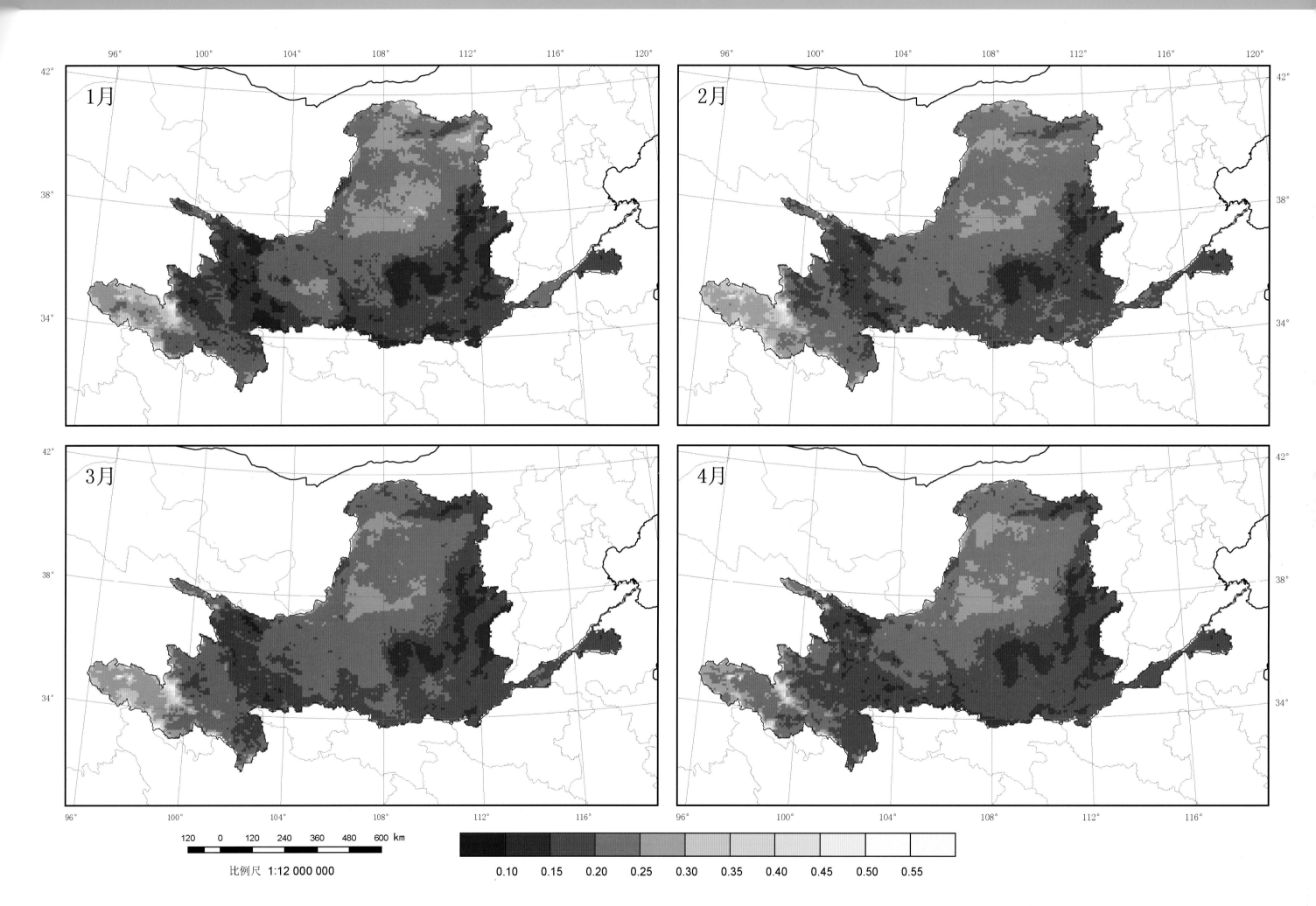

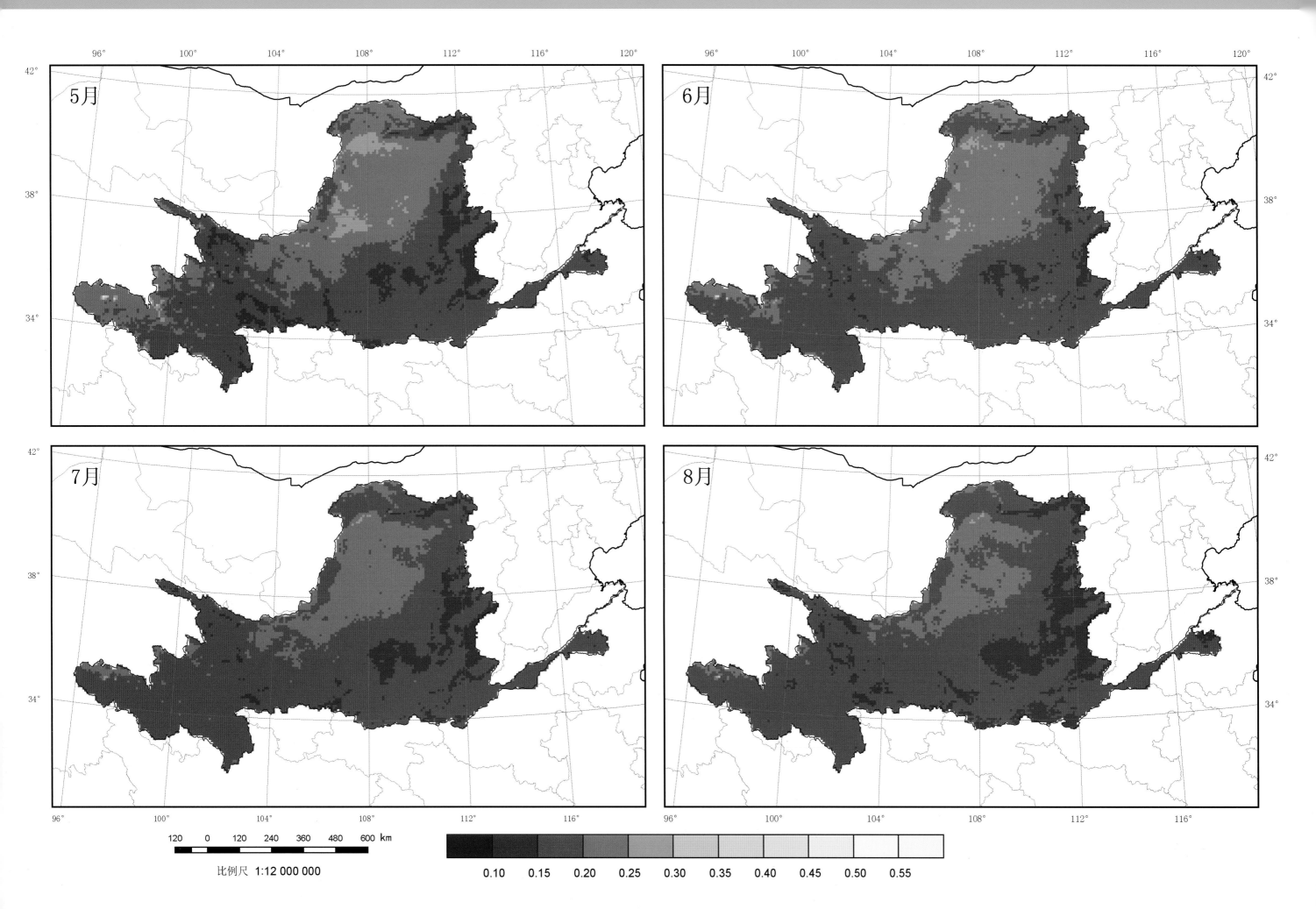

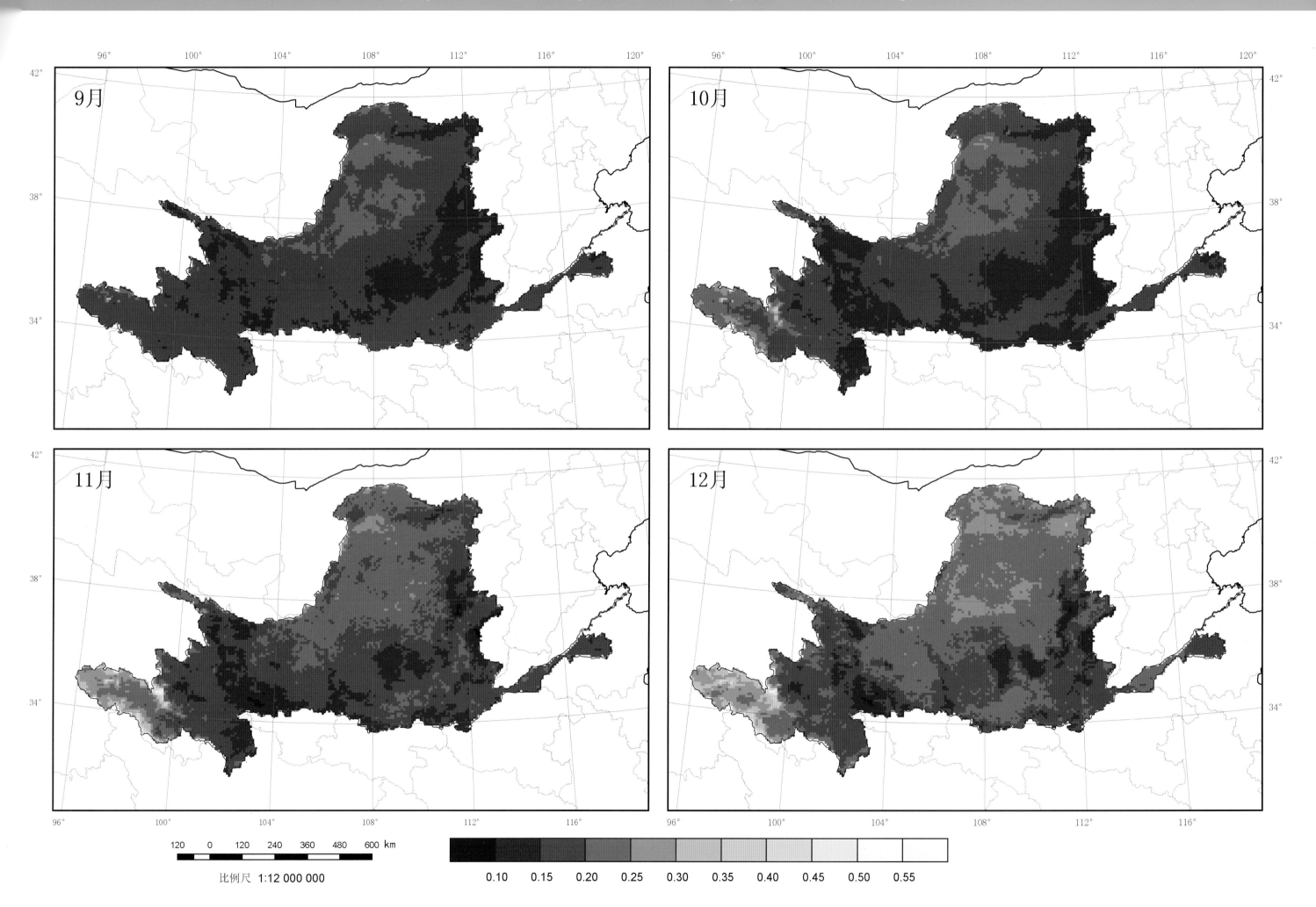

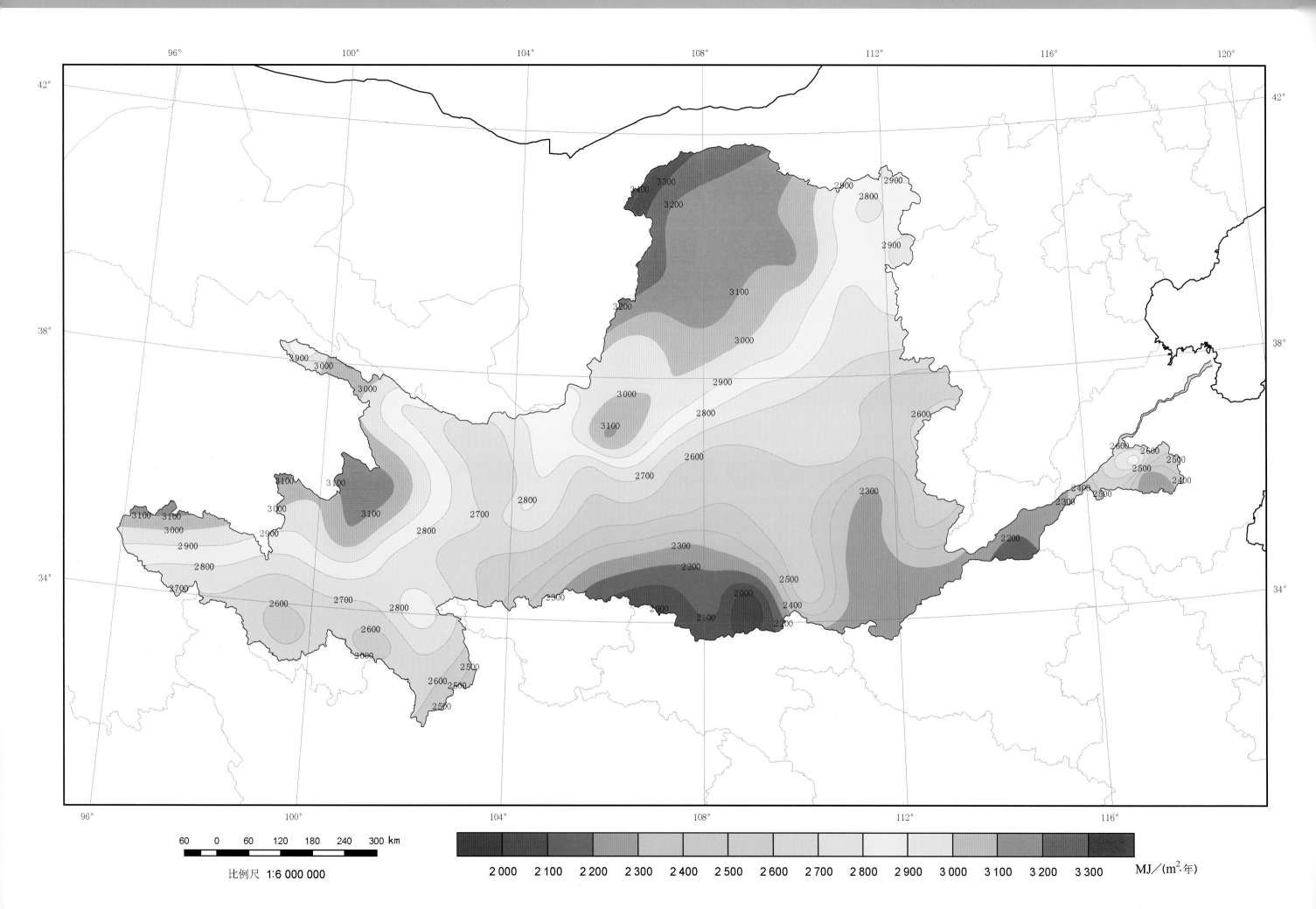

比例尺 1:6 000 000

MJ/(m².年)

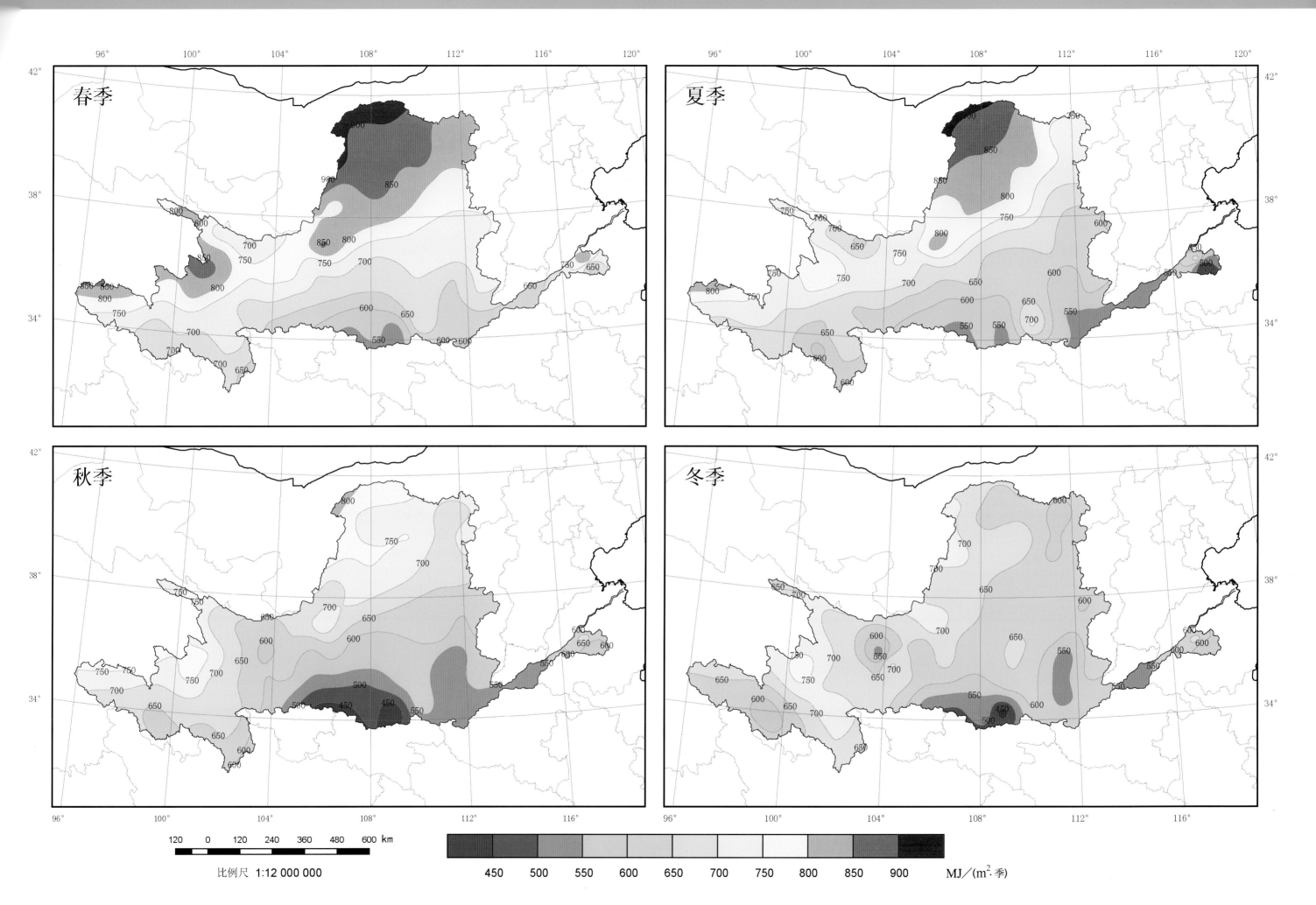

春季

夏季

秋季

冬季

比例尺 1:12 000 000

450 500 550 600 650 700 750 800 850 900 MJ／(m².季)

黄河流域月有效辐射

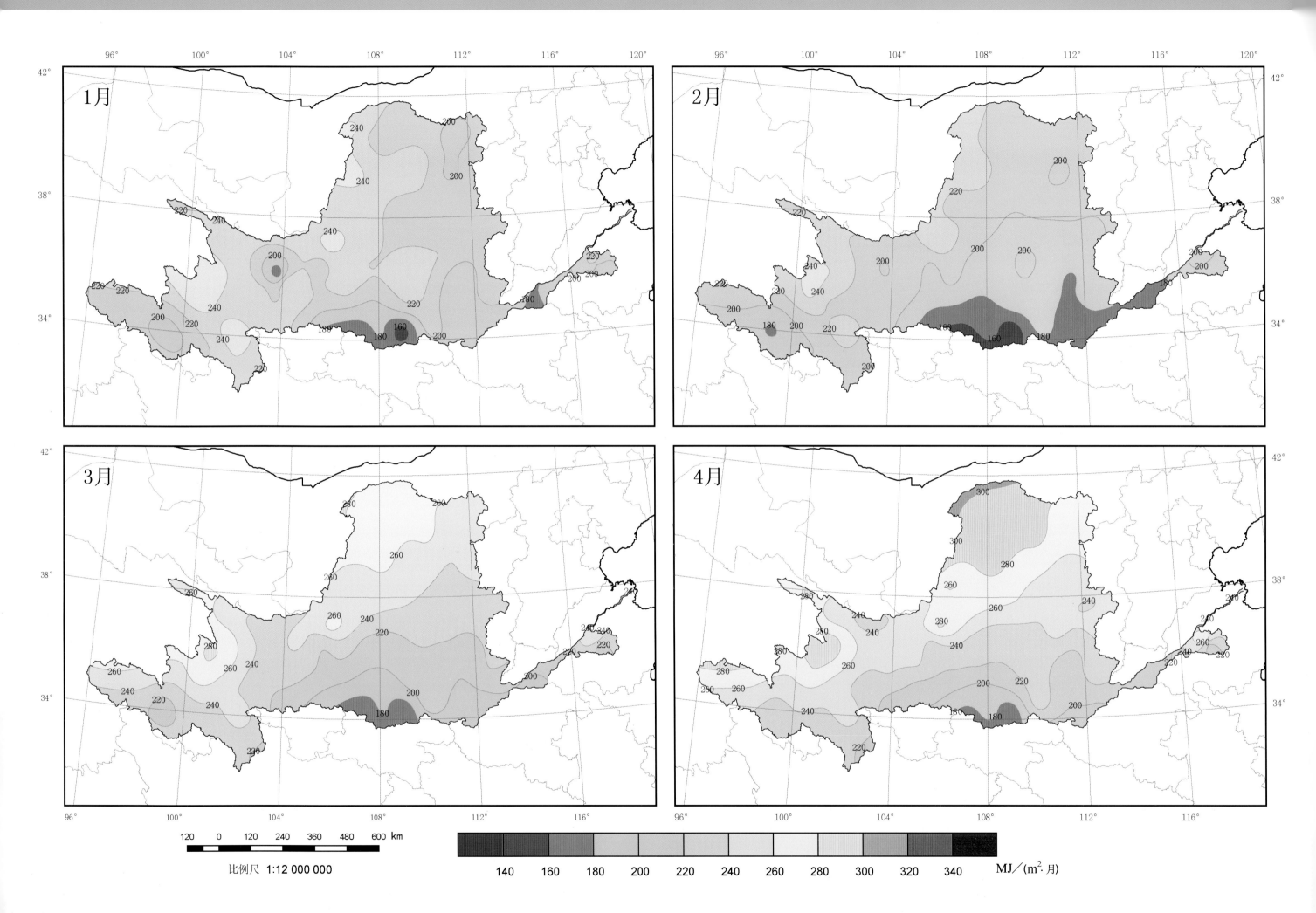

比例尺 1:12 000 000

140 160 180 200 220 240 260 280 300 320 340 MJ/(m². 月)

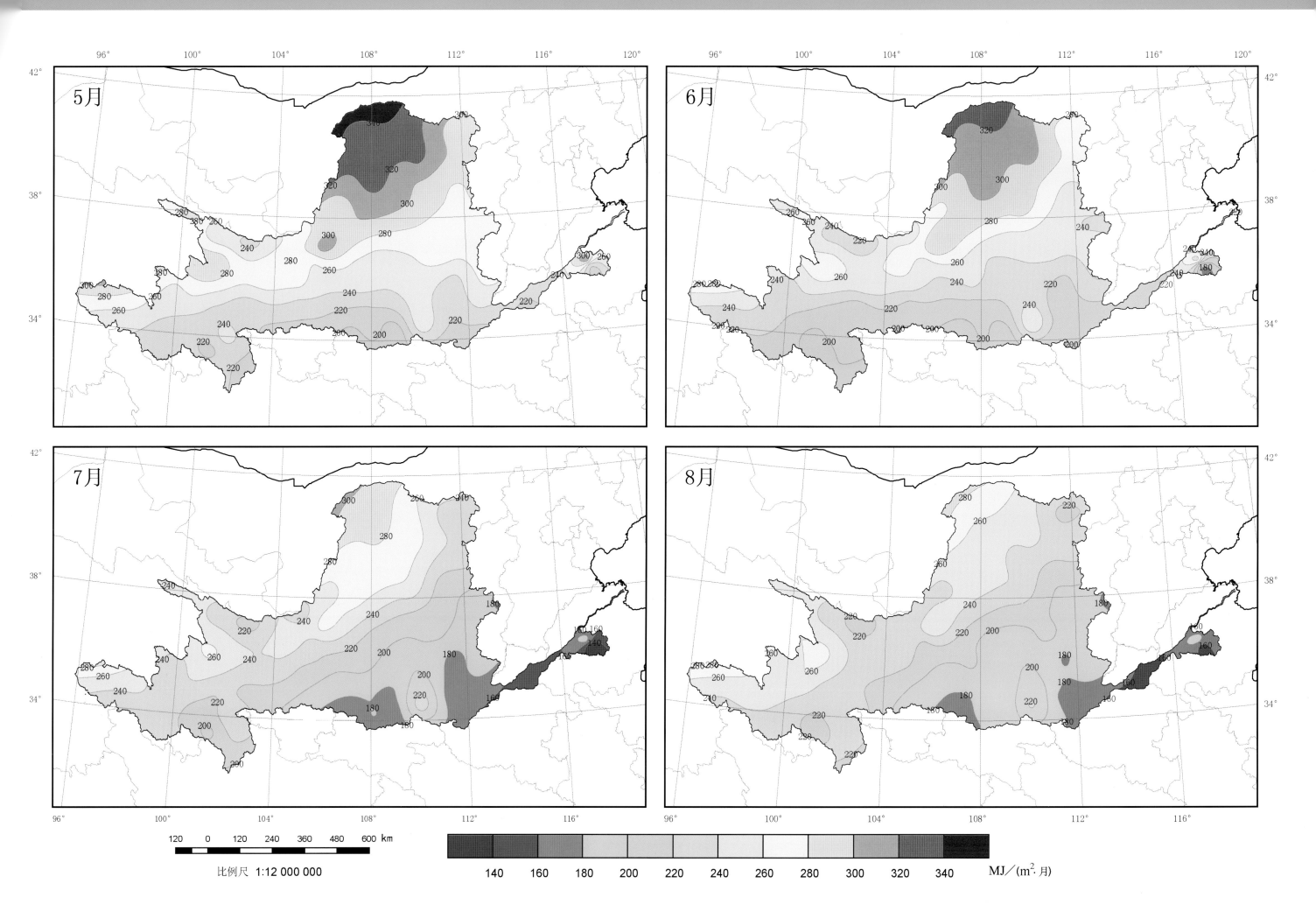

比例尺 1:12 000 000

MJ／(m². 月)

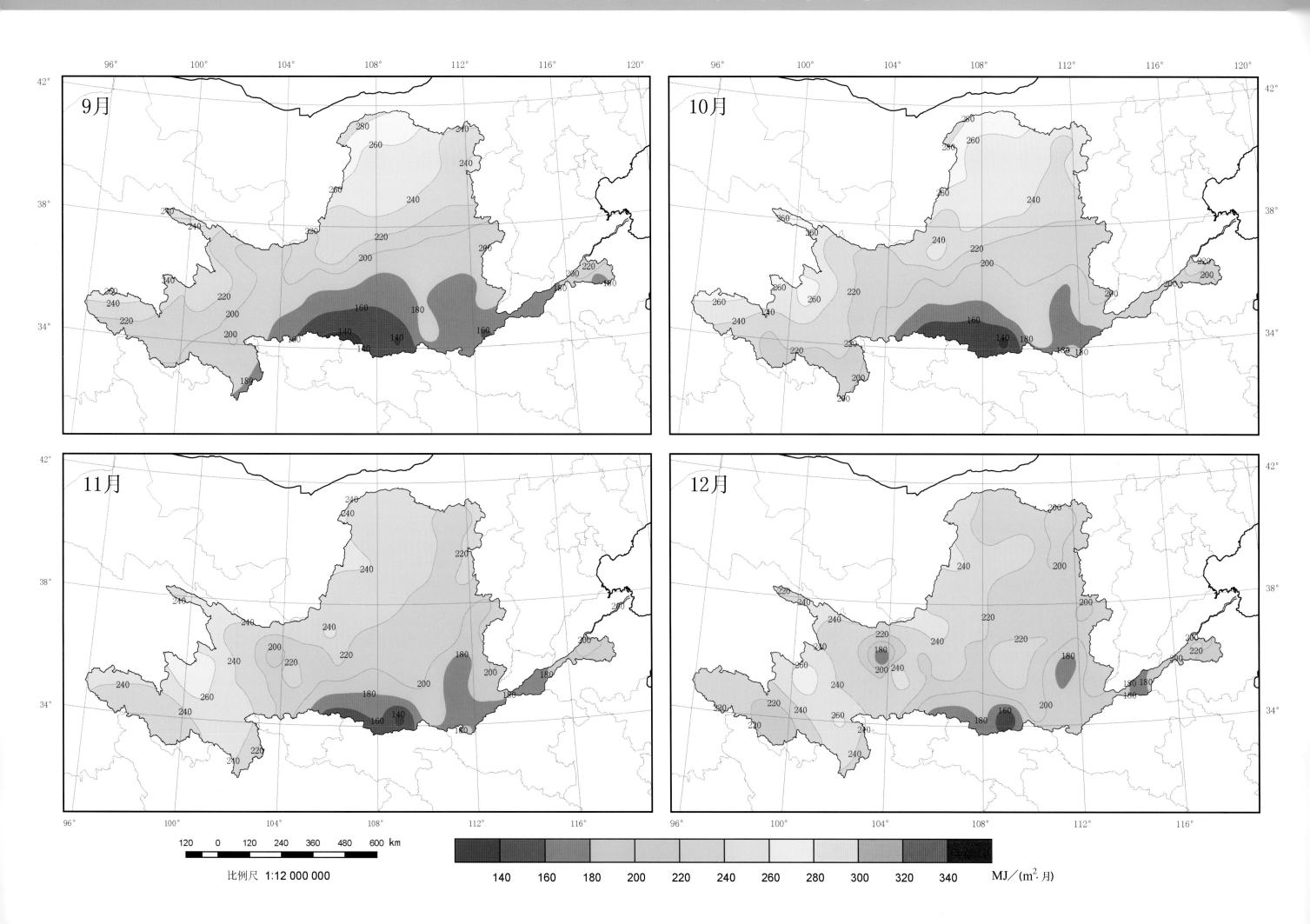

比例尺　1:12 000 000

120　0　120　240　360　480　600 km

140　160　180　200　220　240　260　280　300　320　340　MJ／(m². 月)

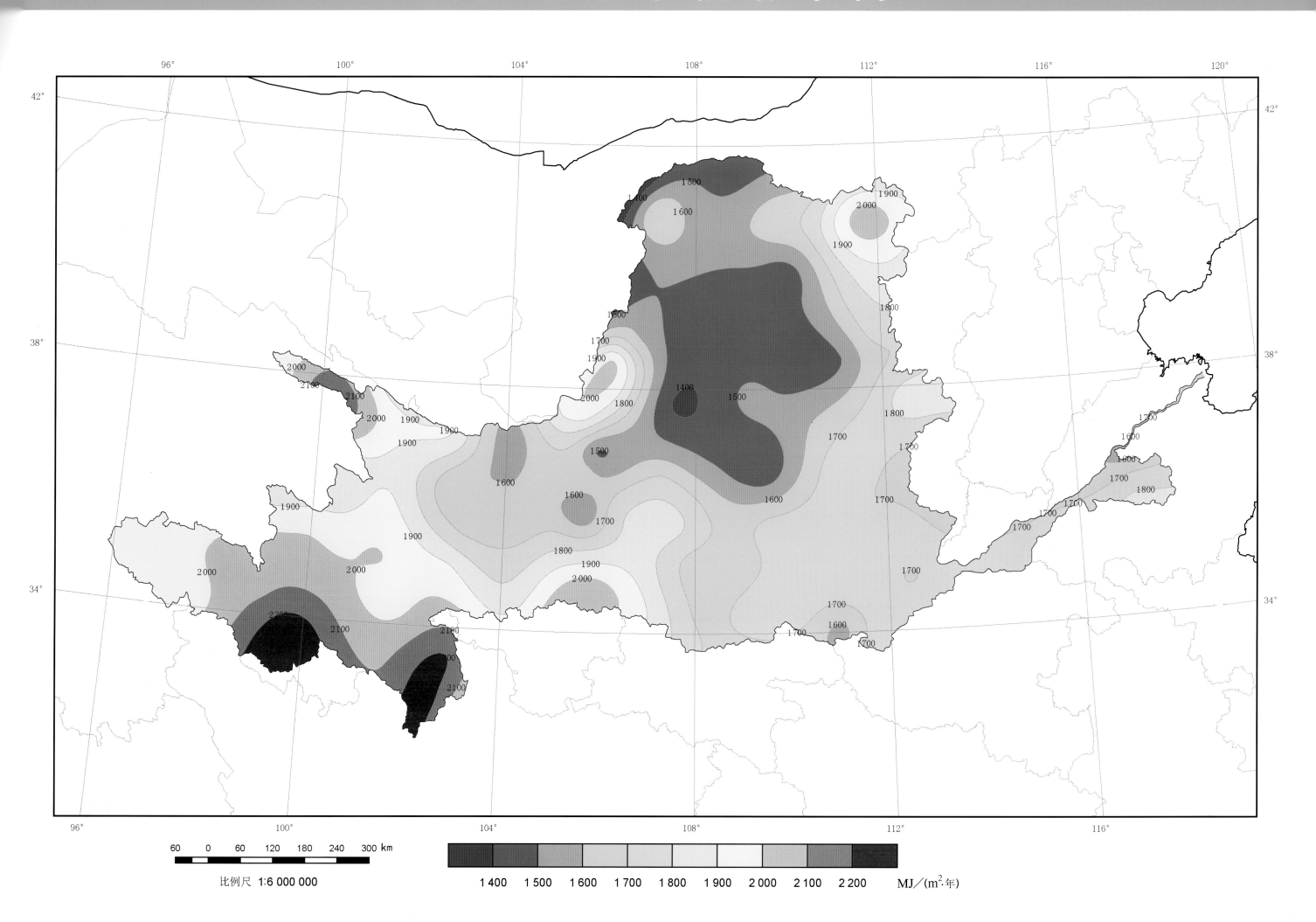

比例尺 1:6 000 000

MJ／(m²·年)

1 400　1 500　1 600　1 700　1 800　1 900　2 000　2 100　2 200

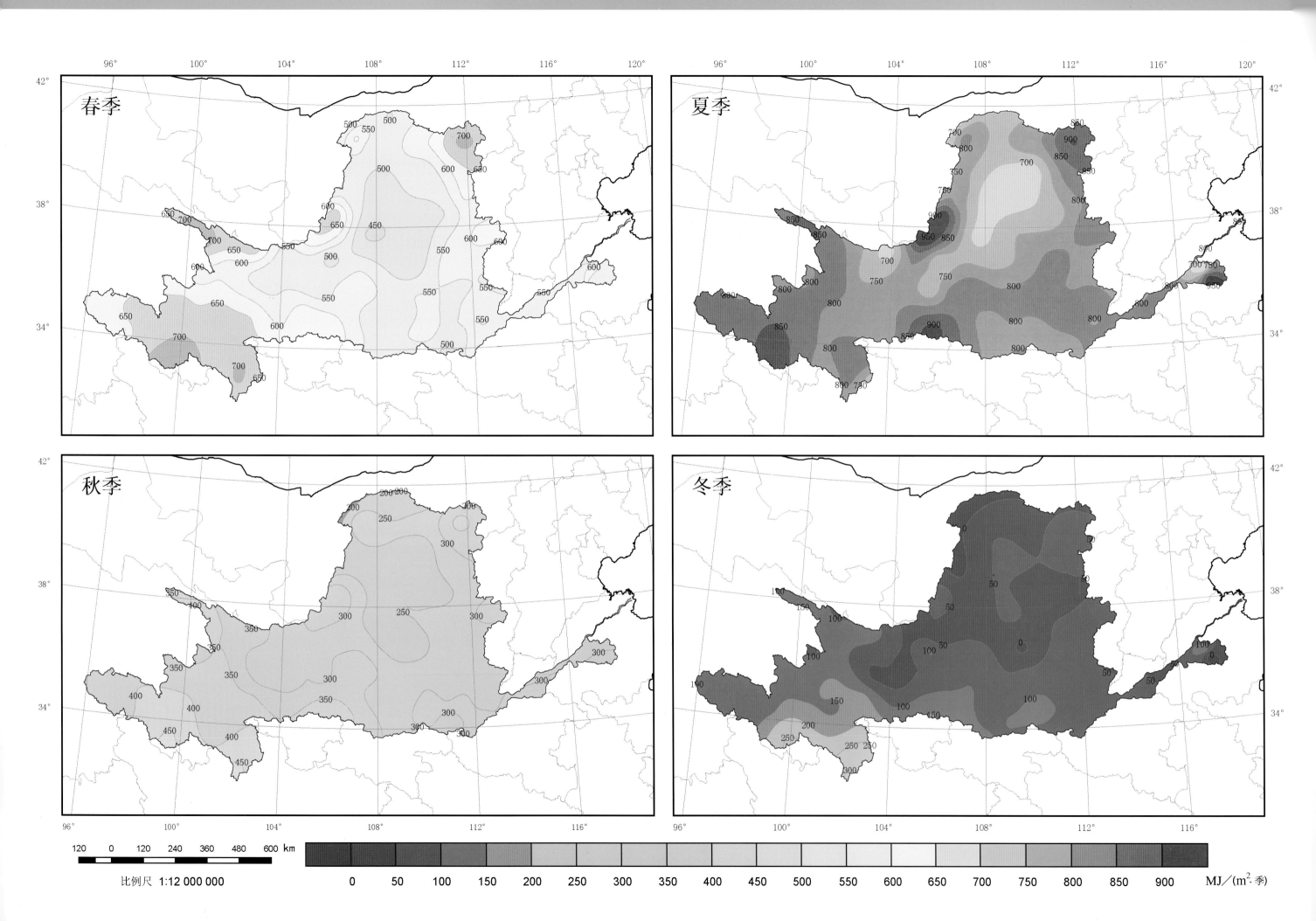

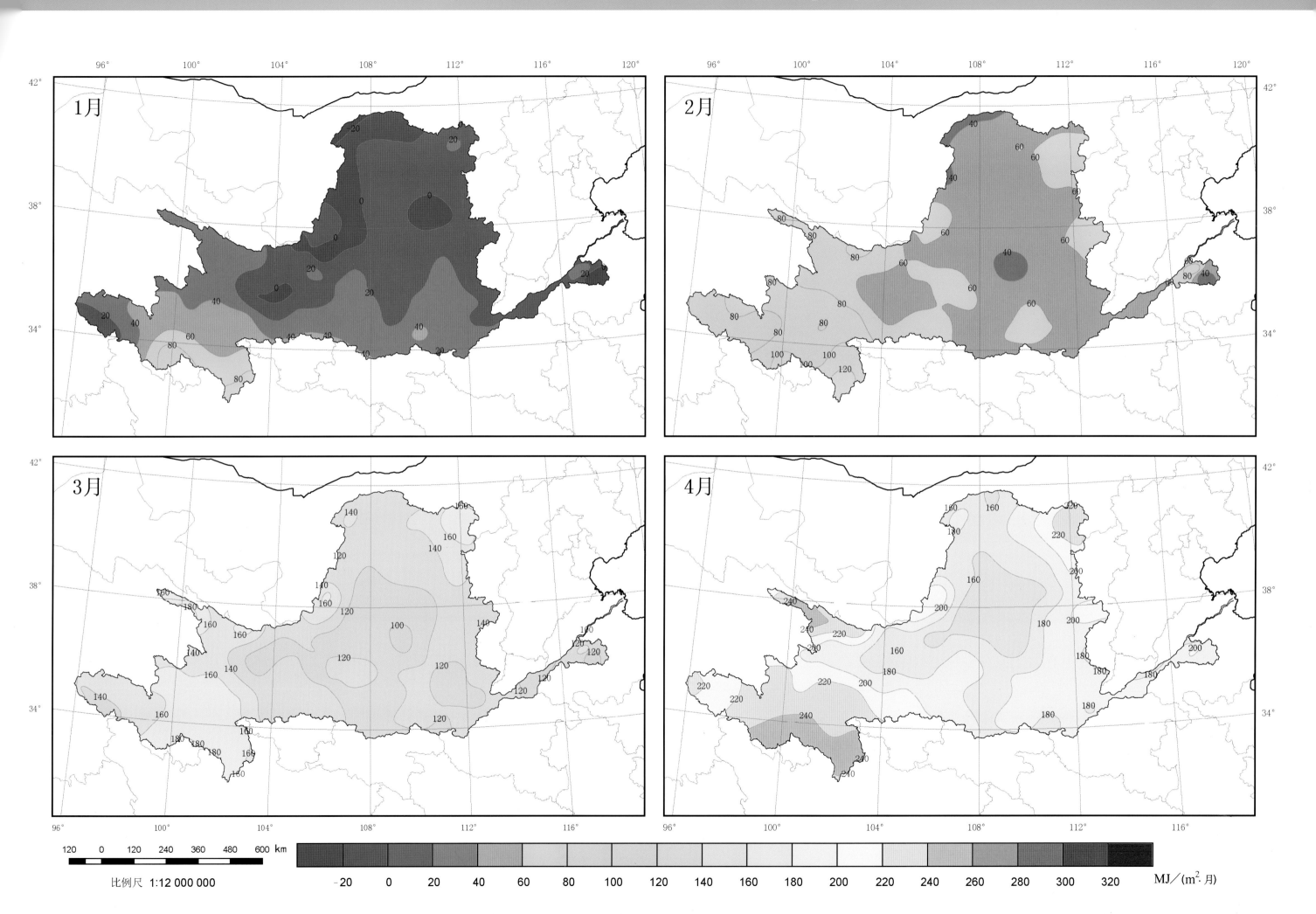

MJ／(m².月)

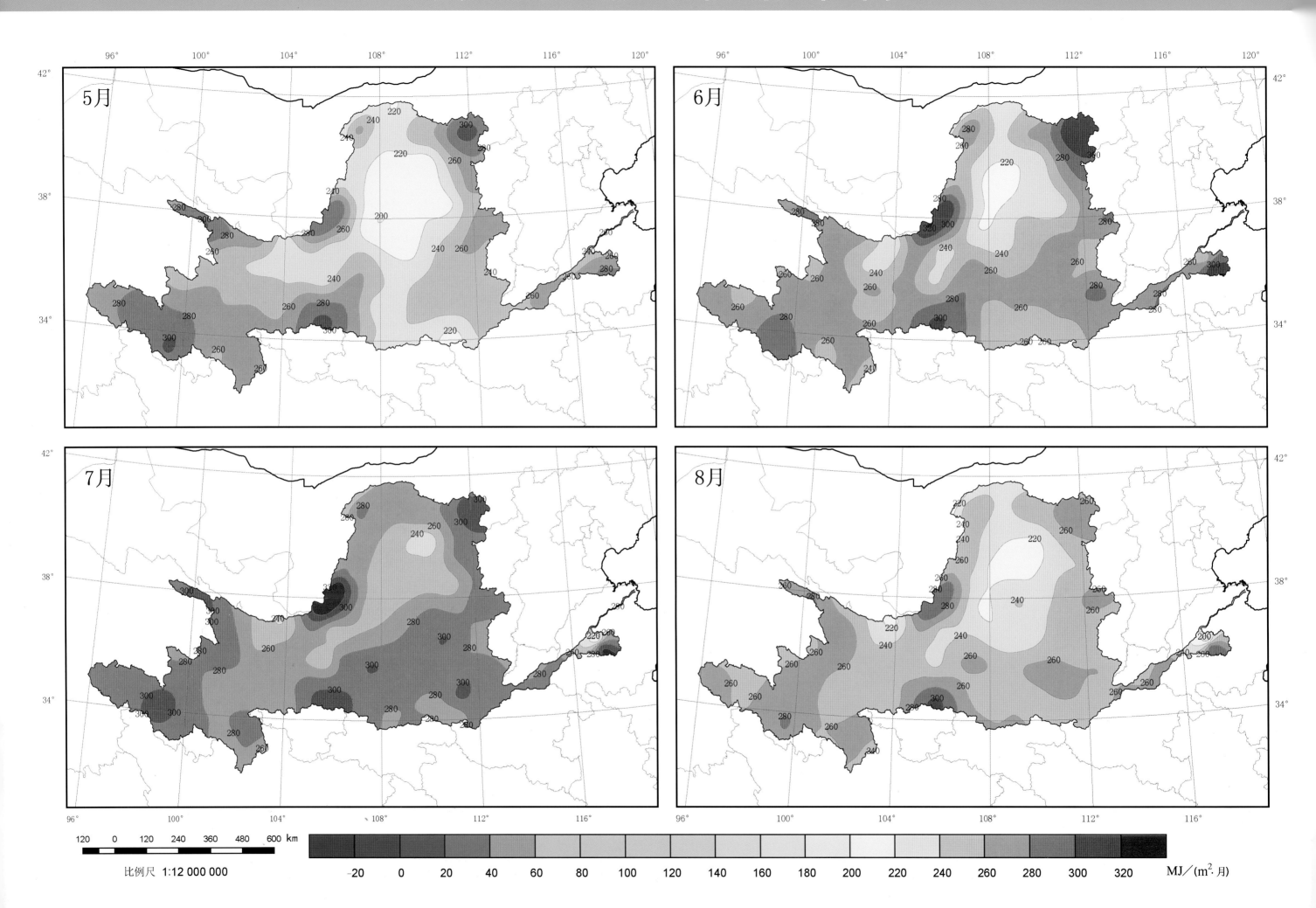

比例尺 1:12 000 000

MJ／(m²·月)

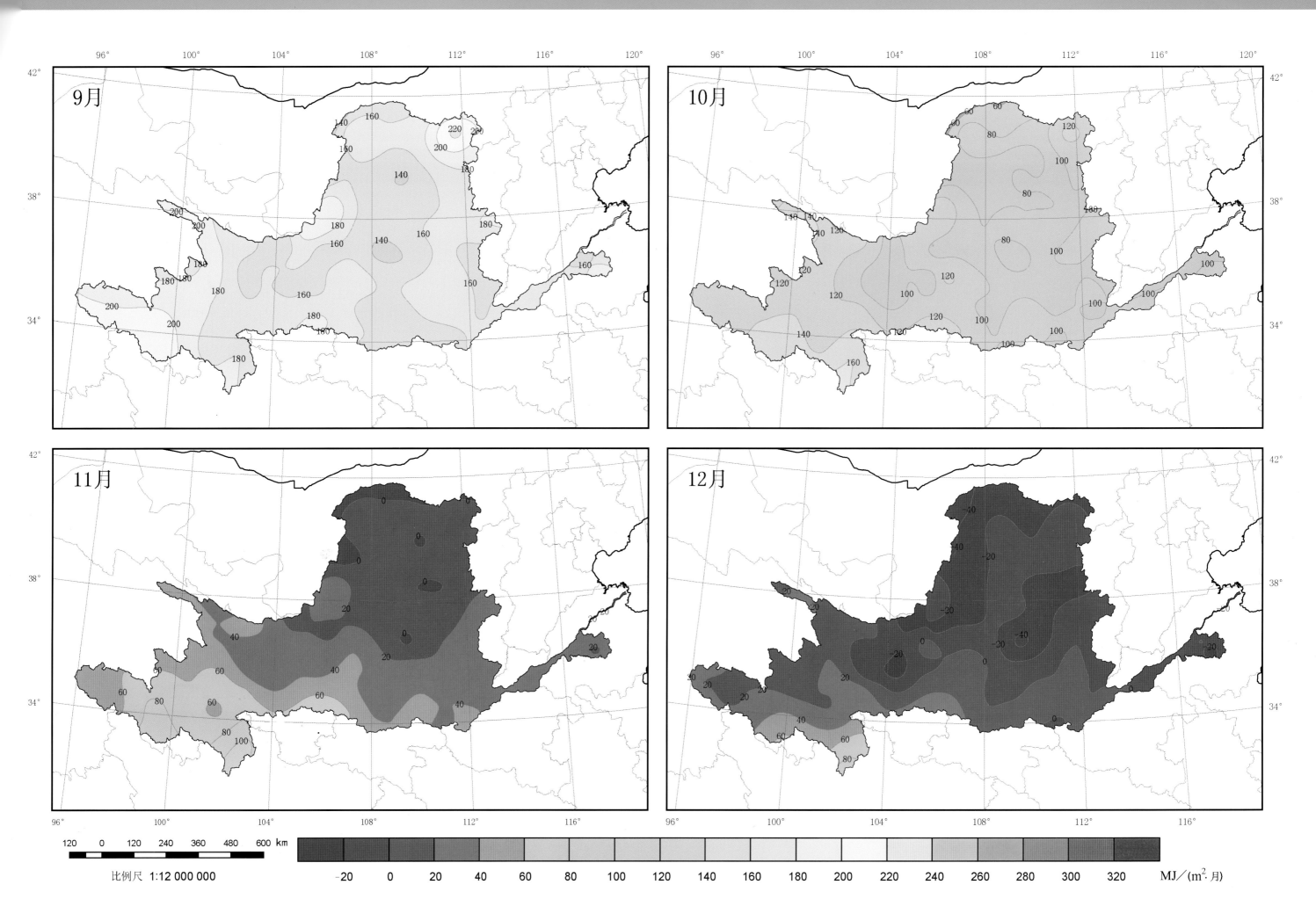

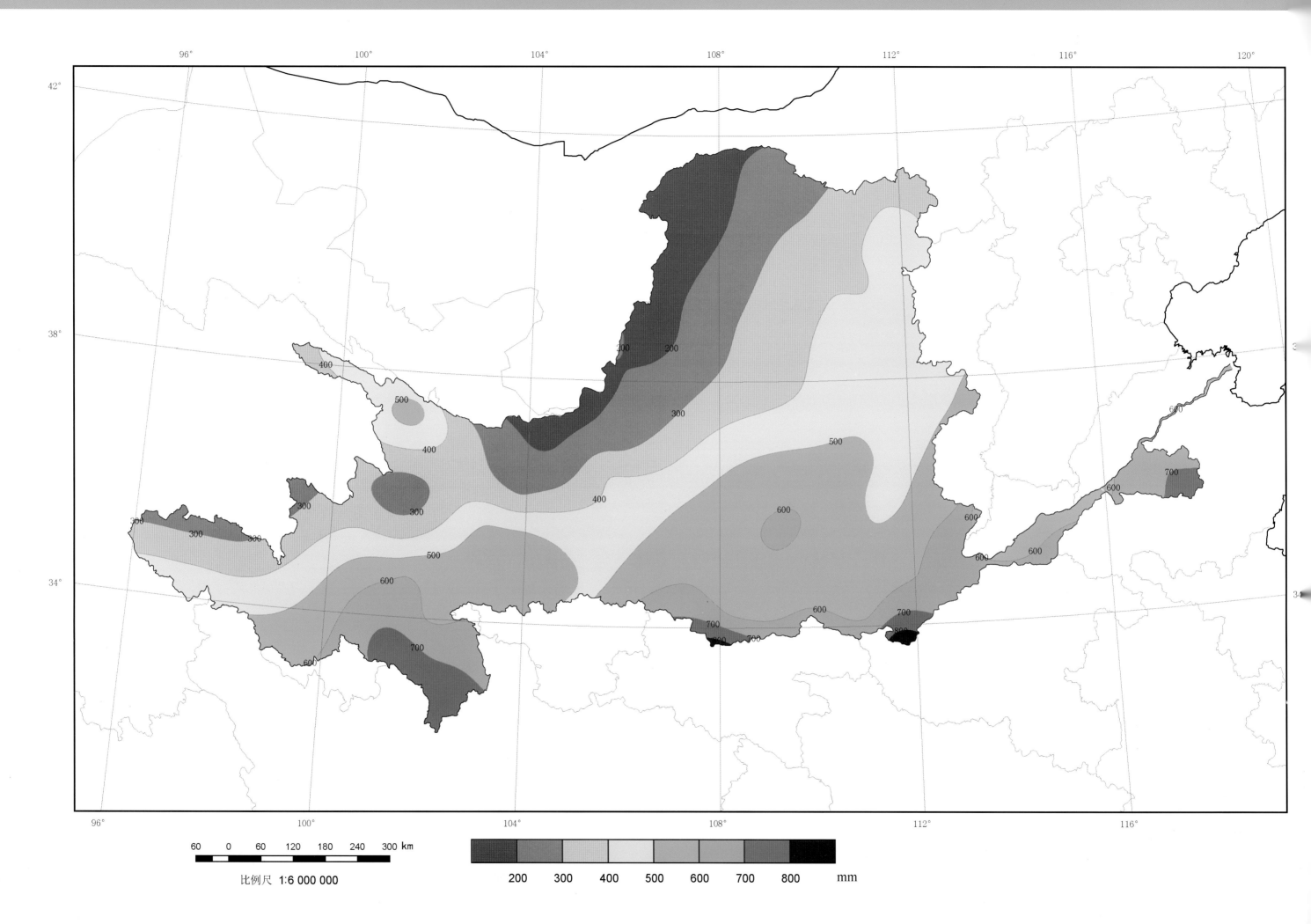

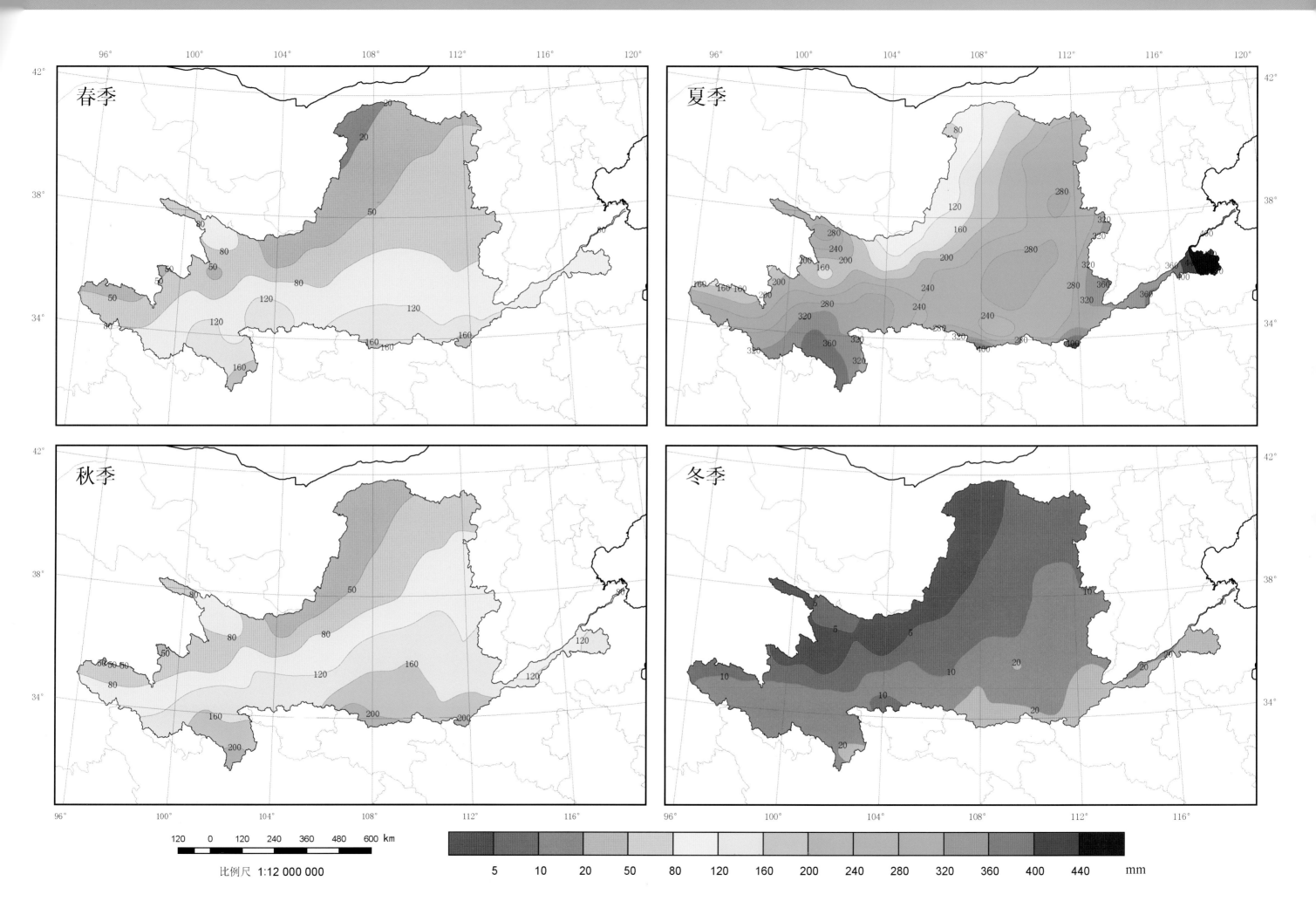

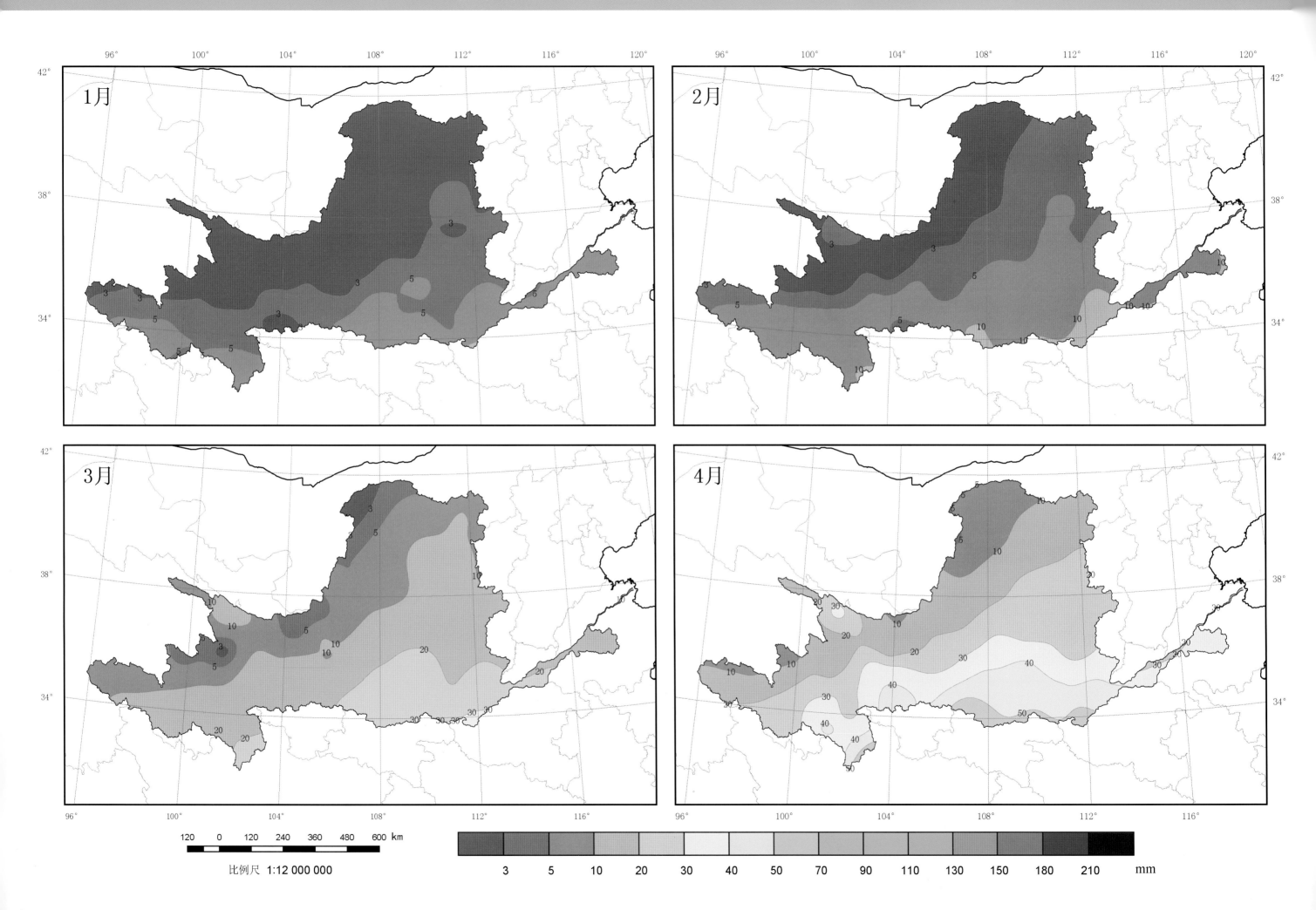

比例尺 1:12 000 000

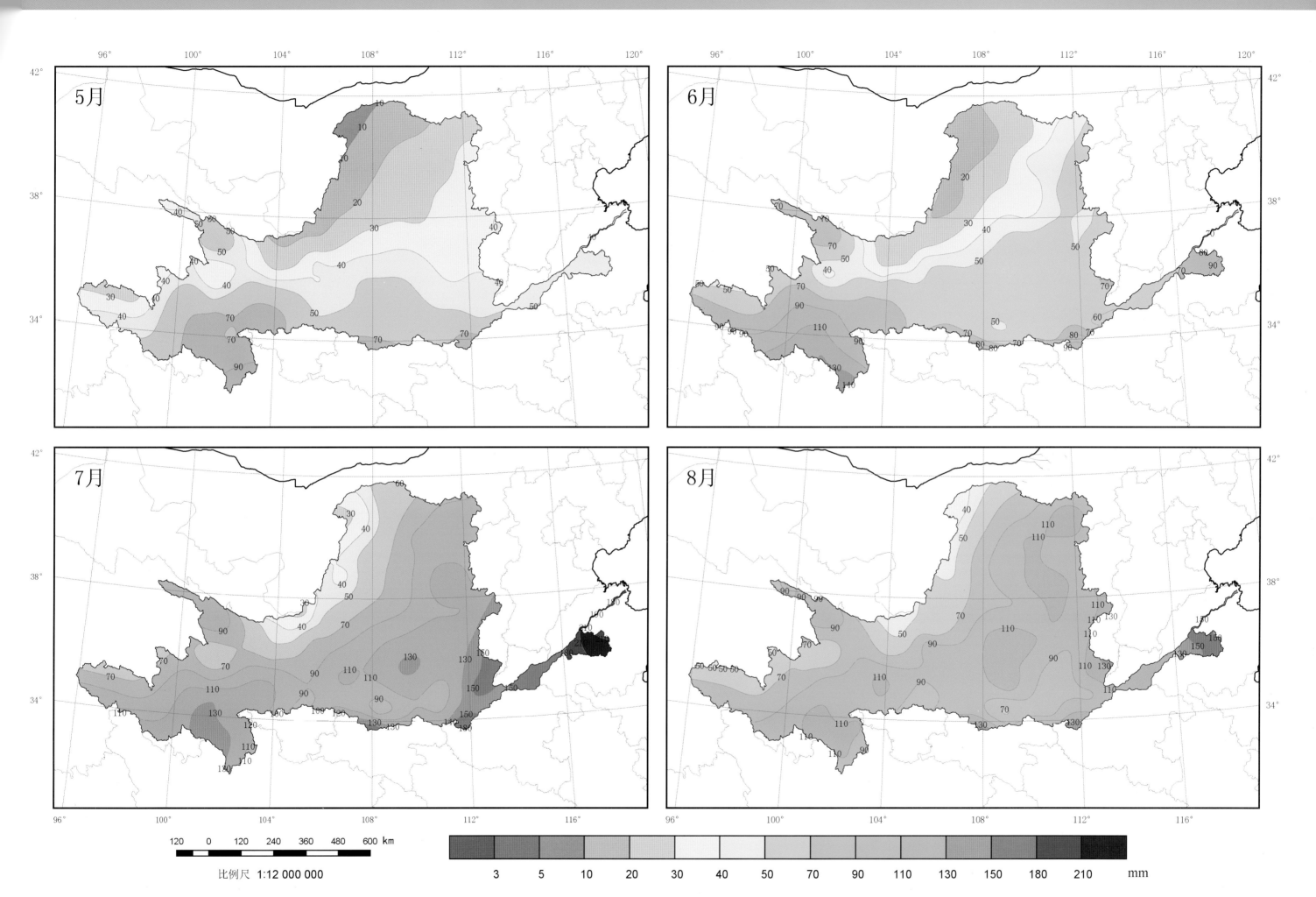

比例尺　1:12 000 000

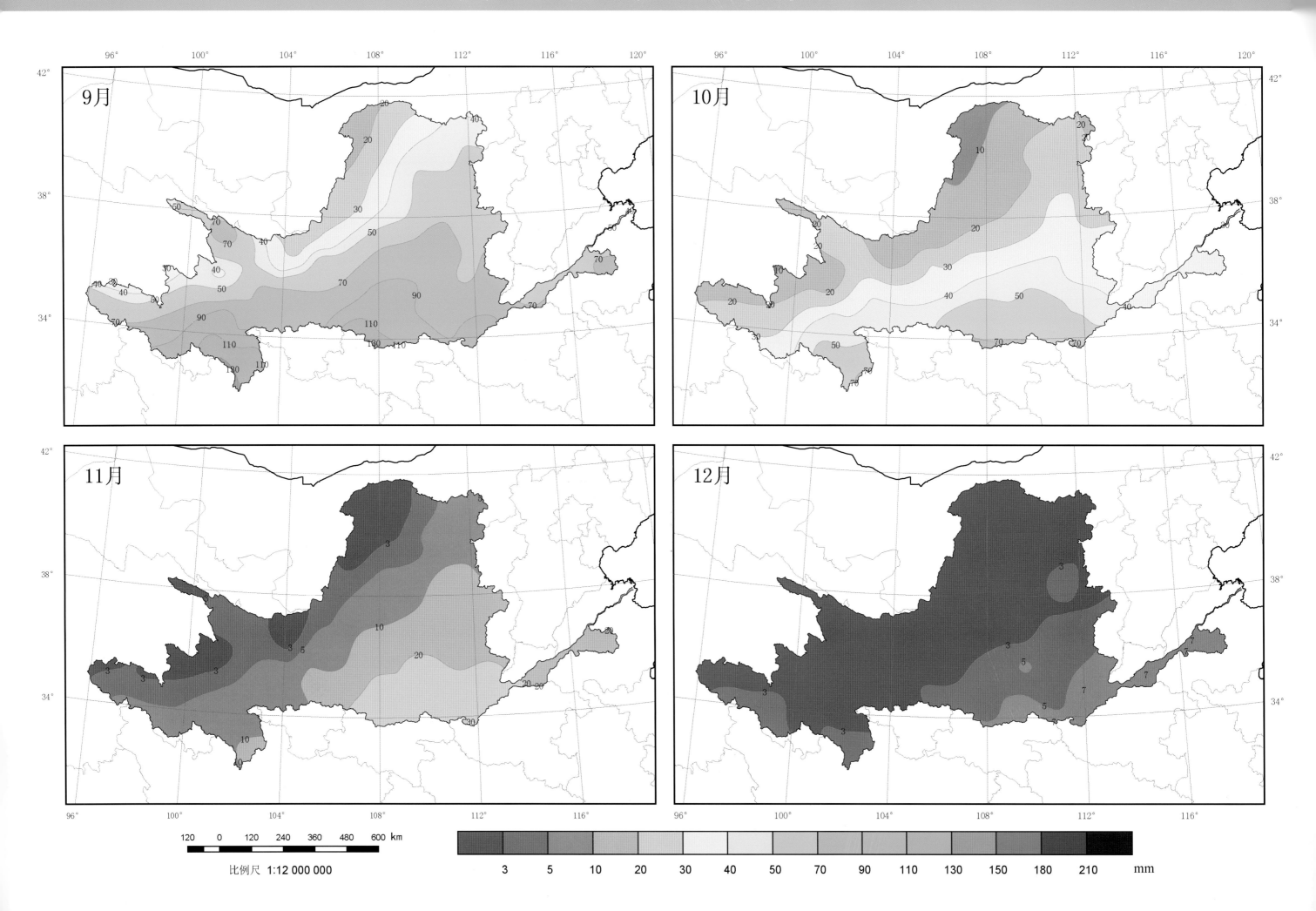

9月

10月

11月

12月

比例尺 1:12 000 000

120 0 120 240 360 480 600 km

3 5 10 20 30 40 50 70 90 110 130 150 180 210 mm

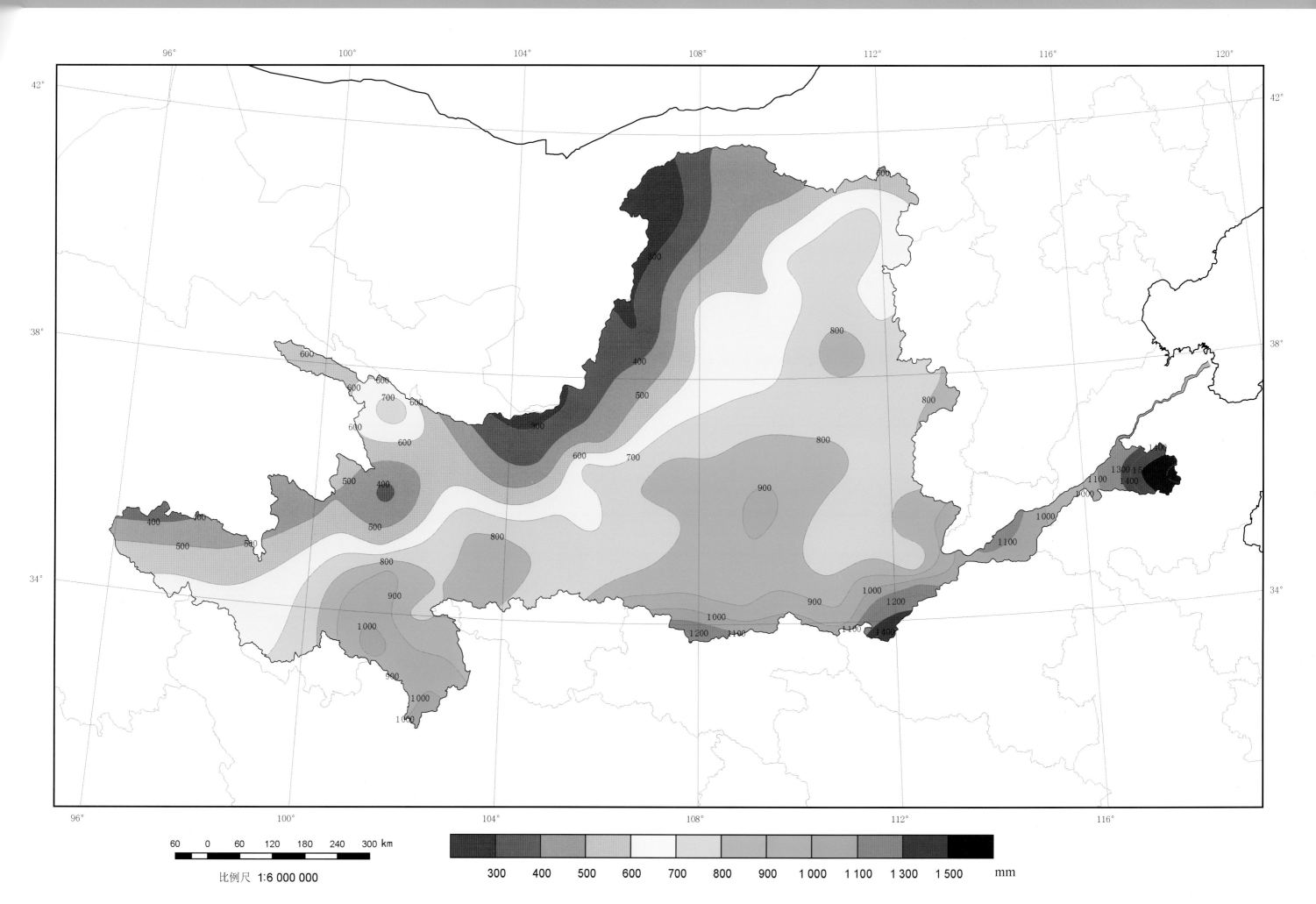

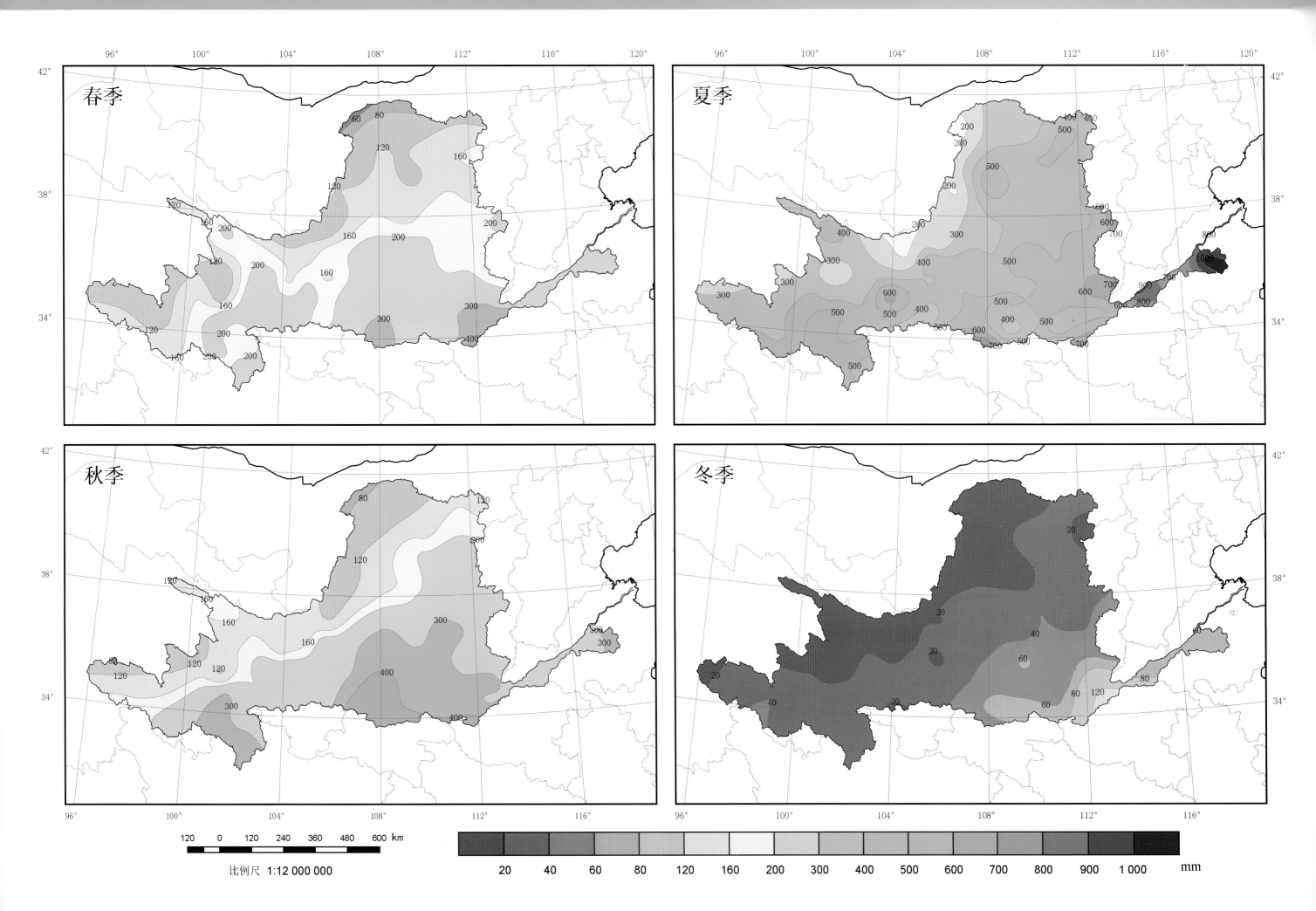

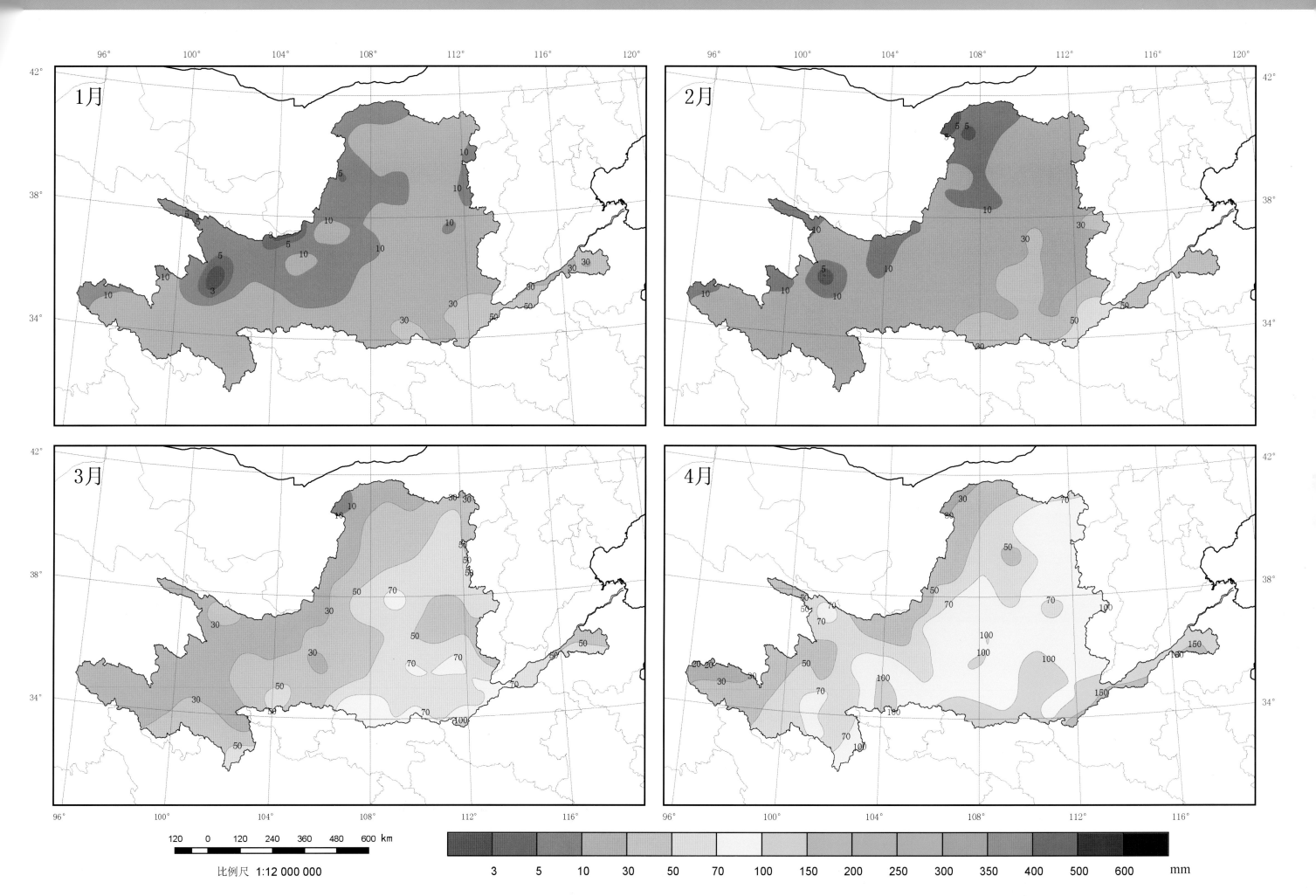

黄 河 流 域 月 最 大 降 水 量

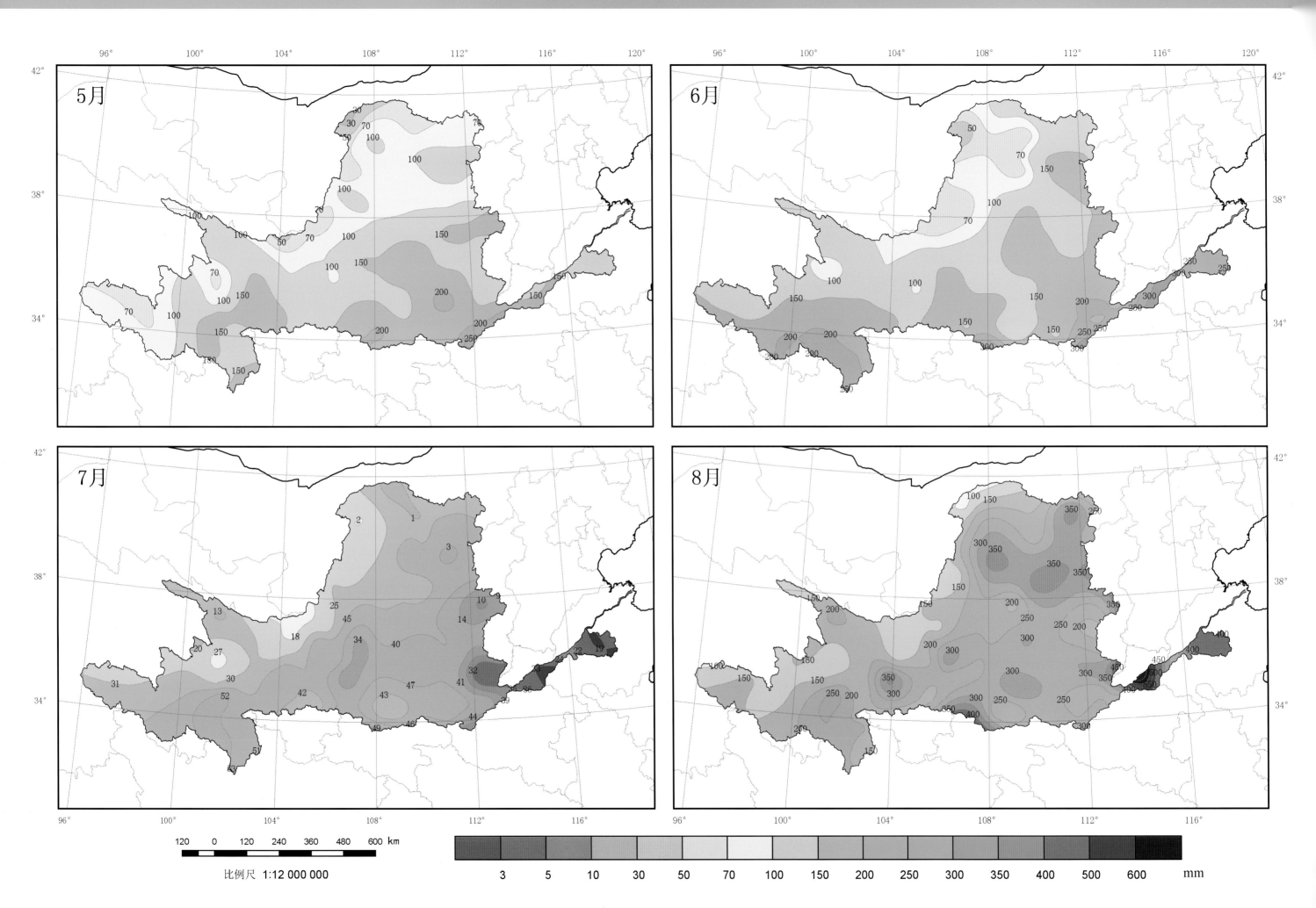

比例尺 1:12 000 000

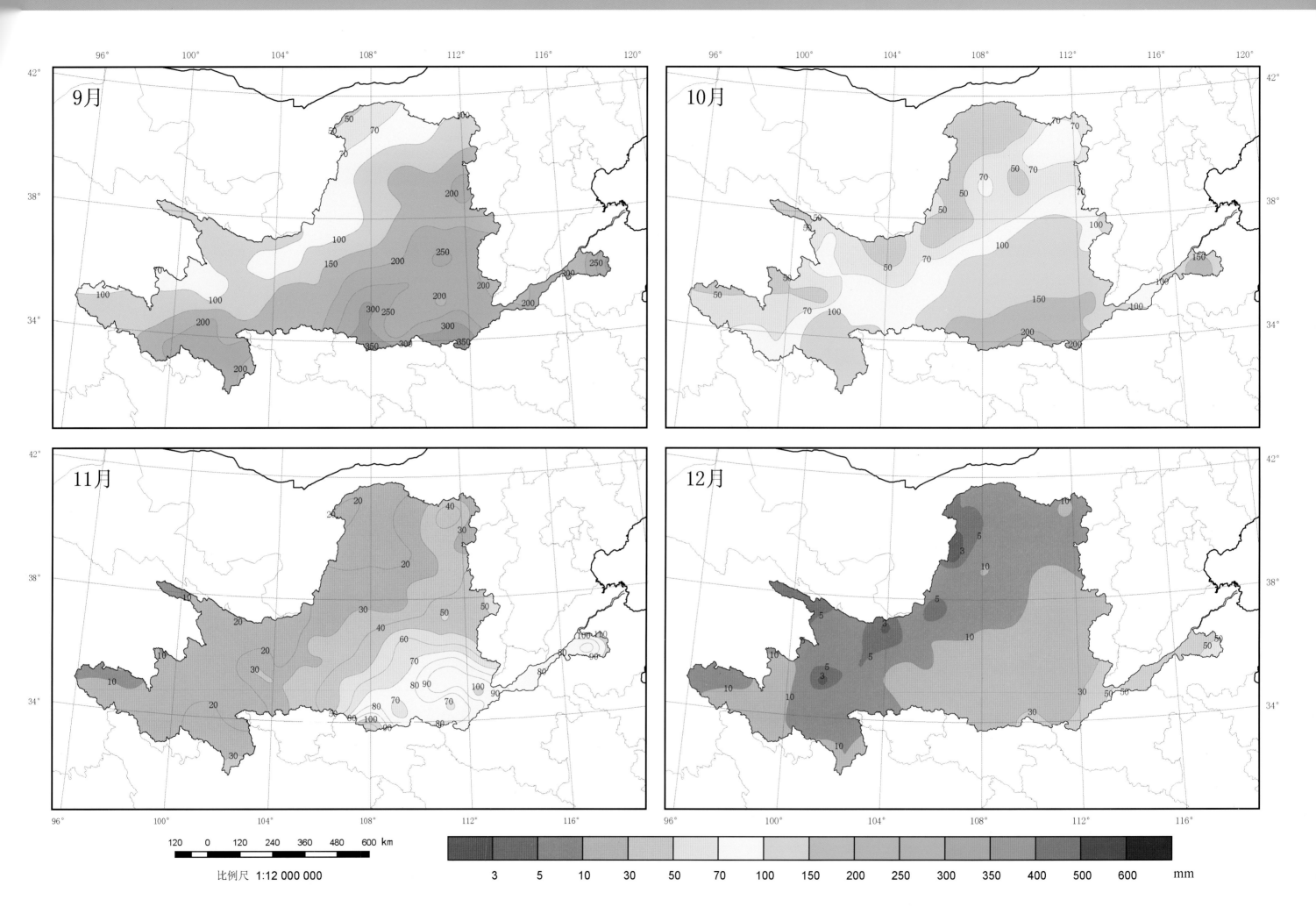

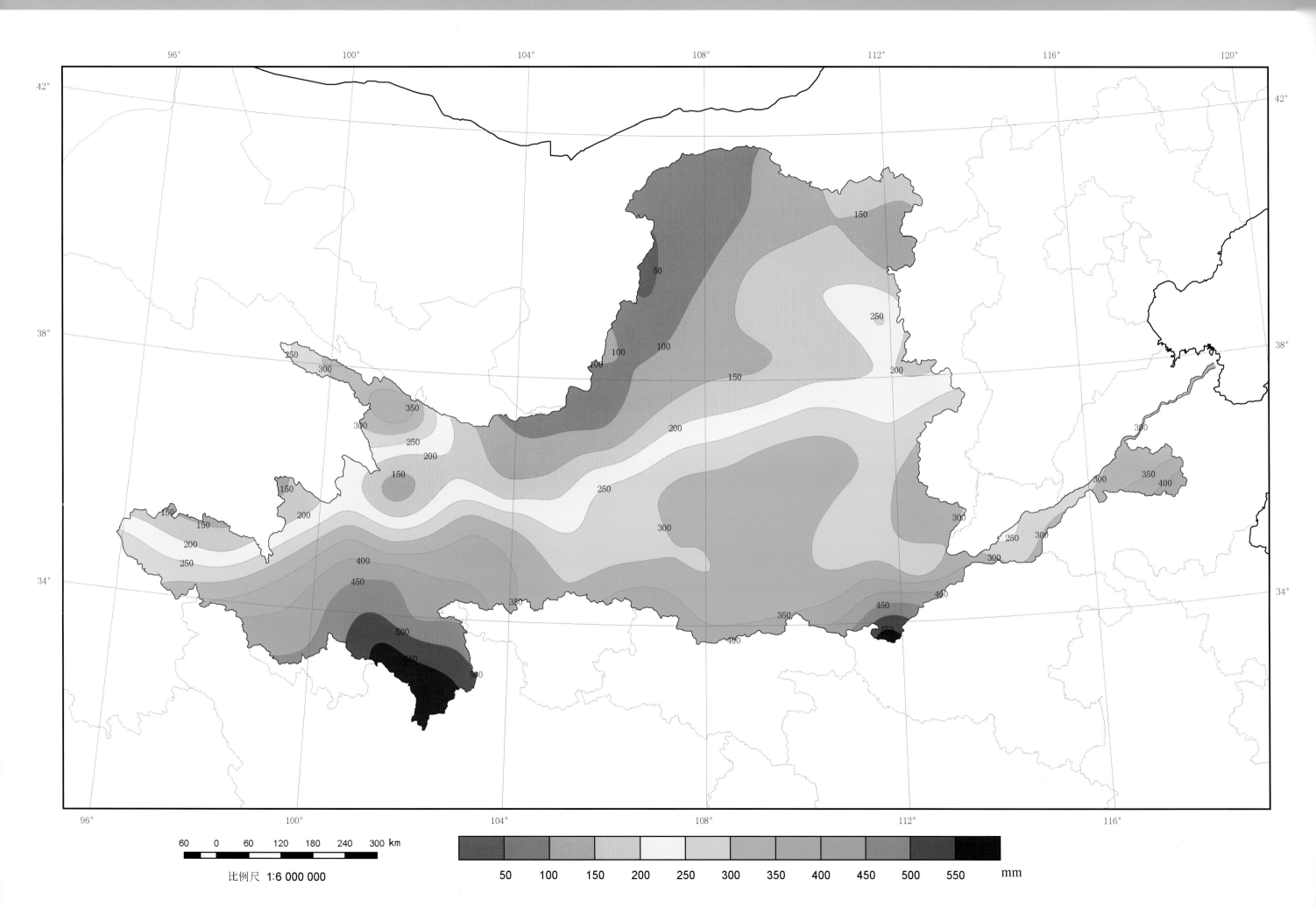

比例尺　1:6 000 000

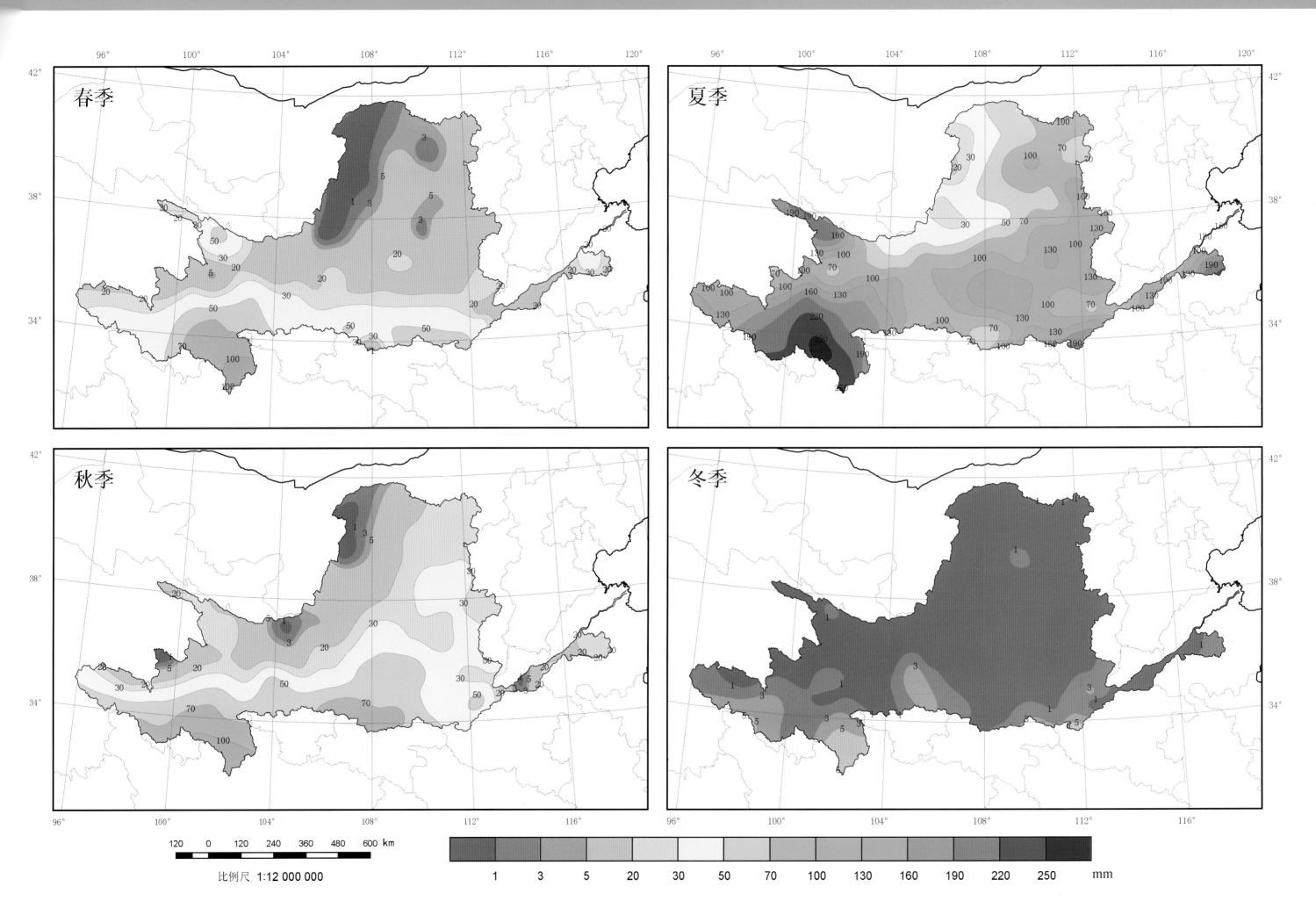

比例尺 1:12 000 000

黄 河 流 域 月 最 小 降 水 量

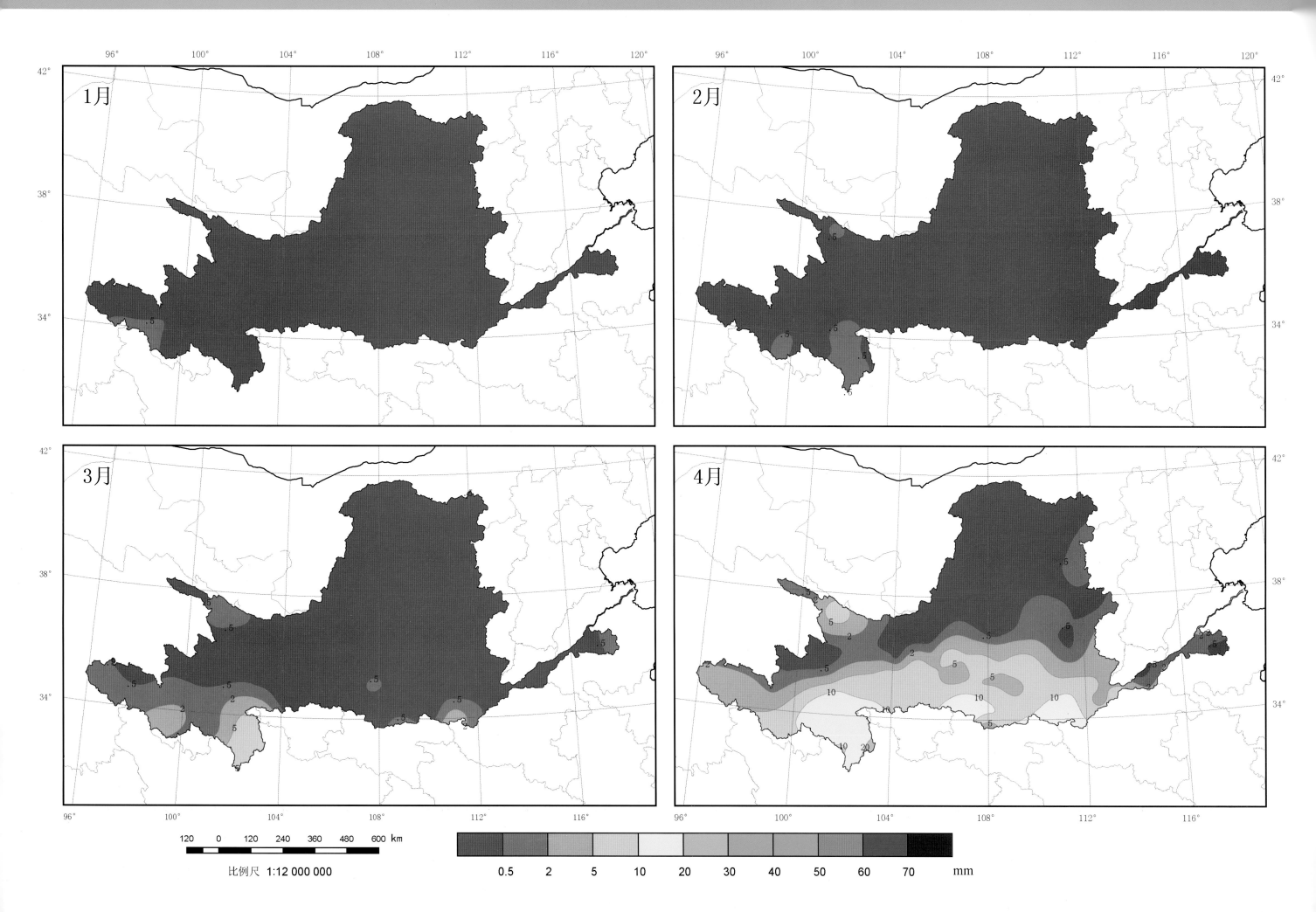

比例尺 1:12 000 000

0.5　2　5　10　20　30　40　50　60　70　mm

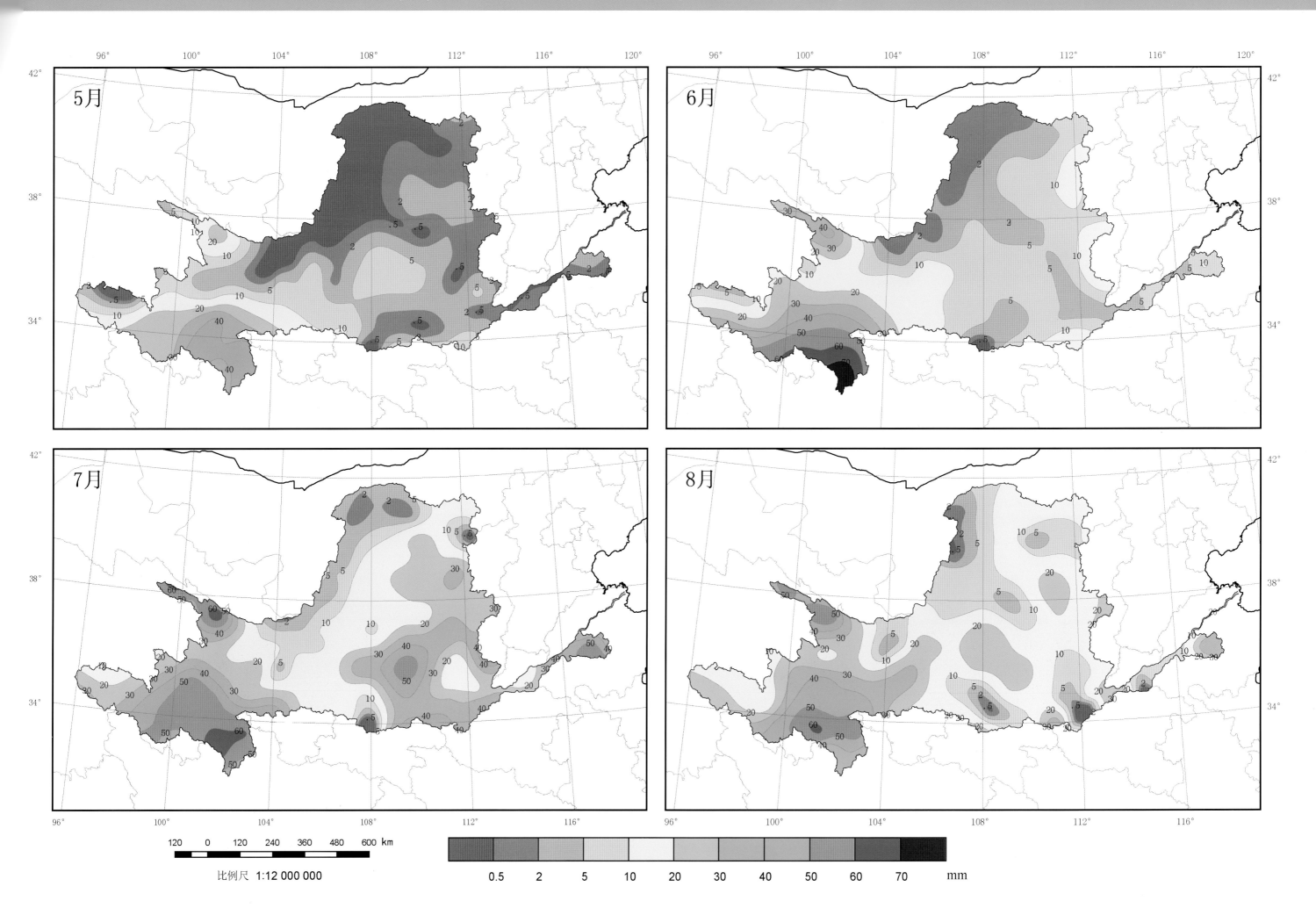

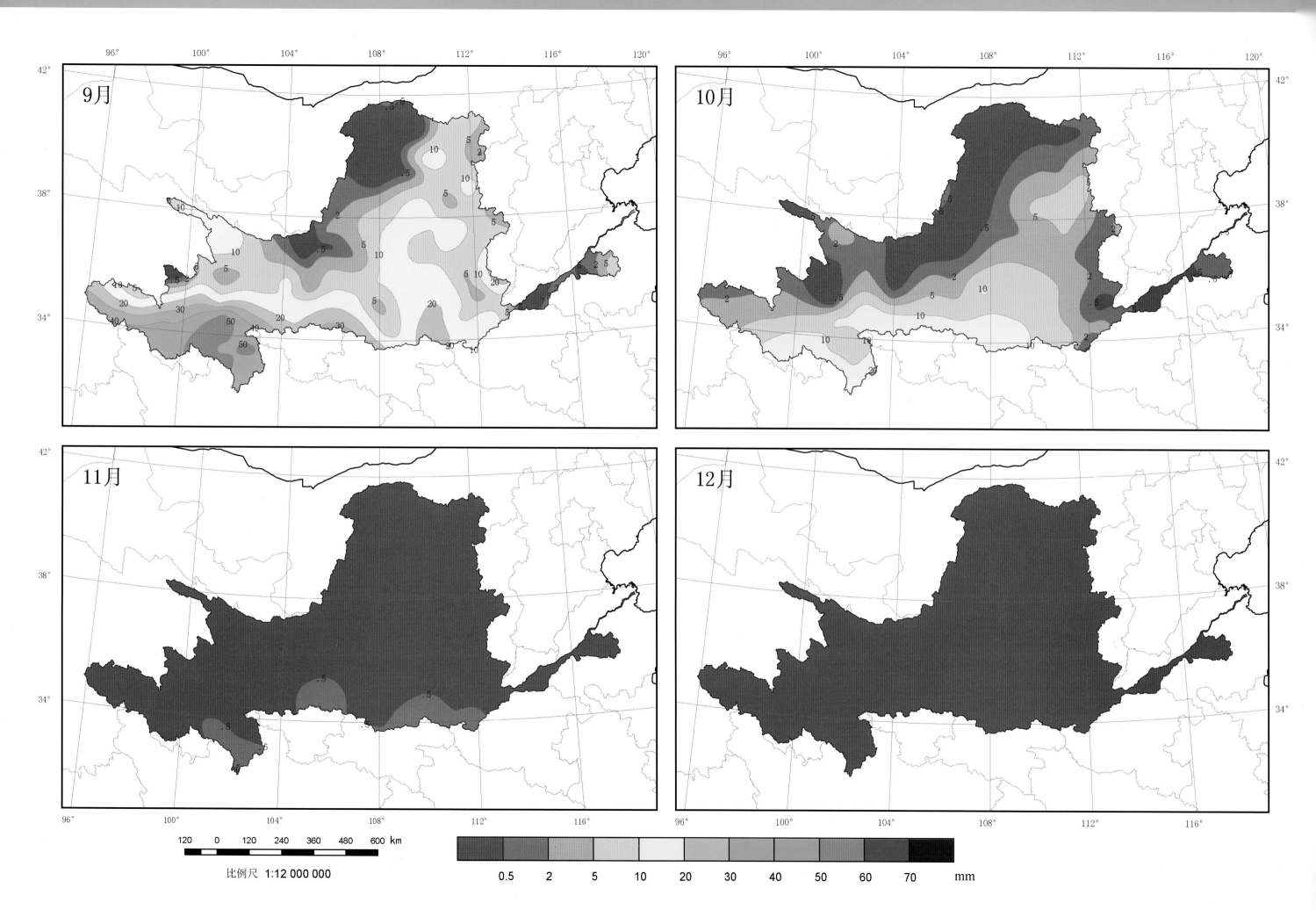

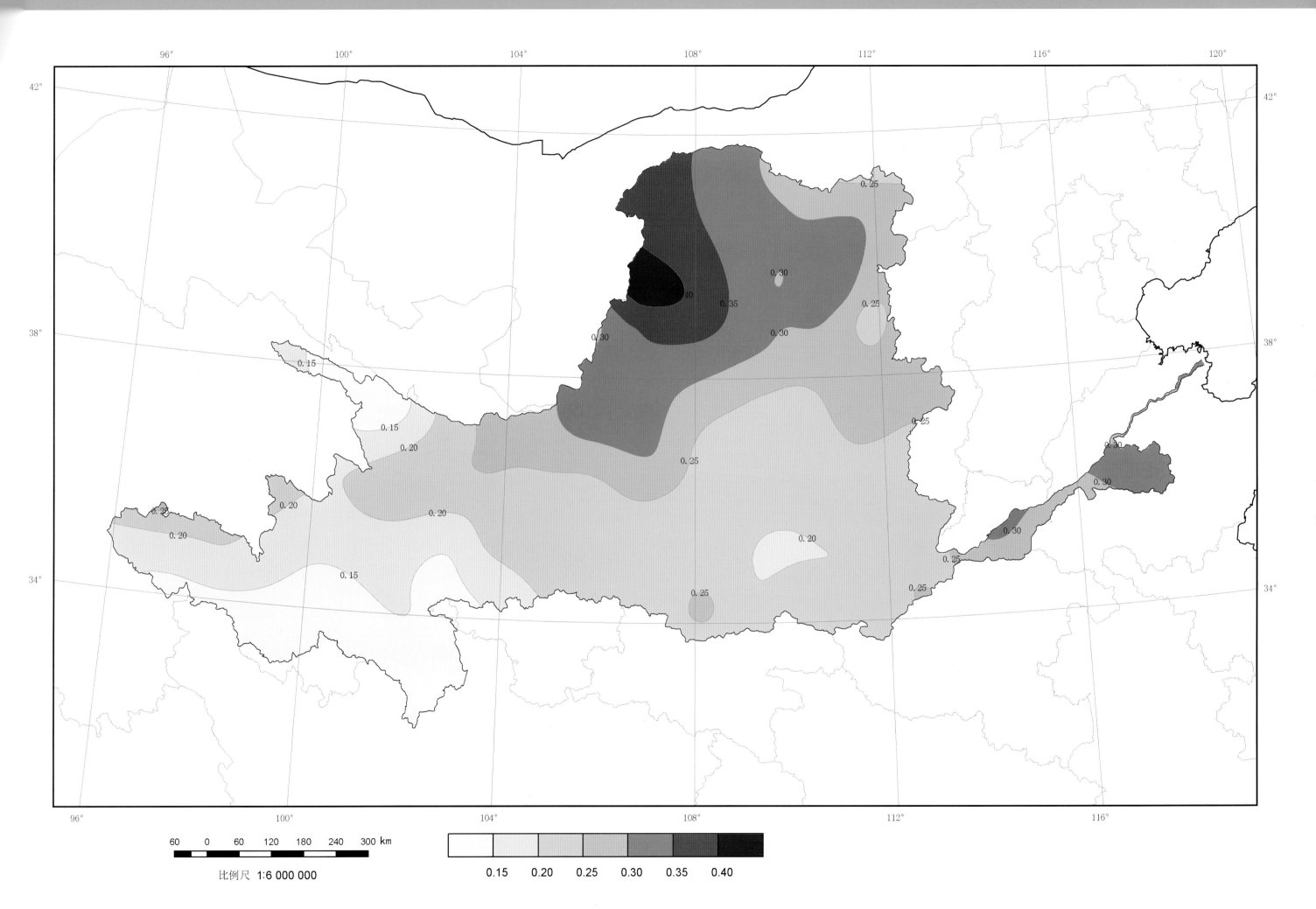

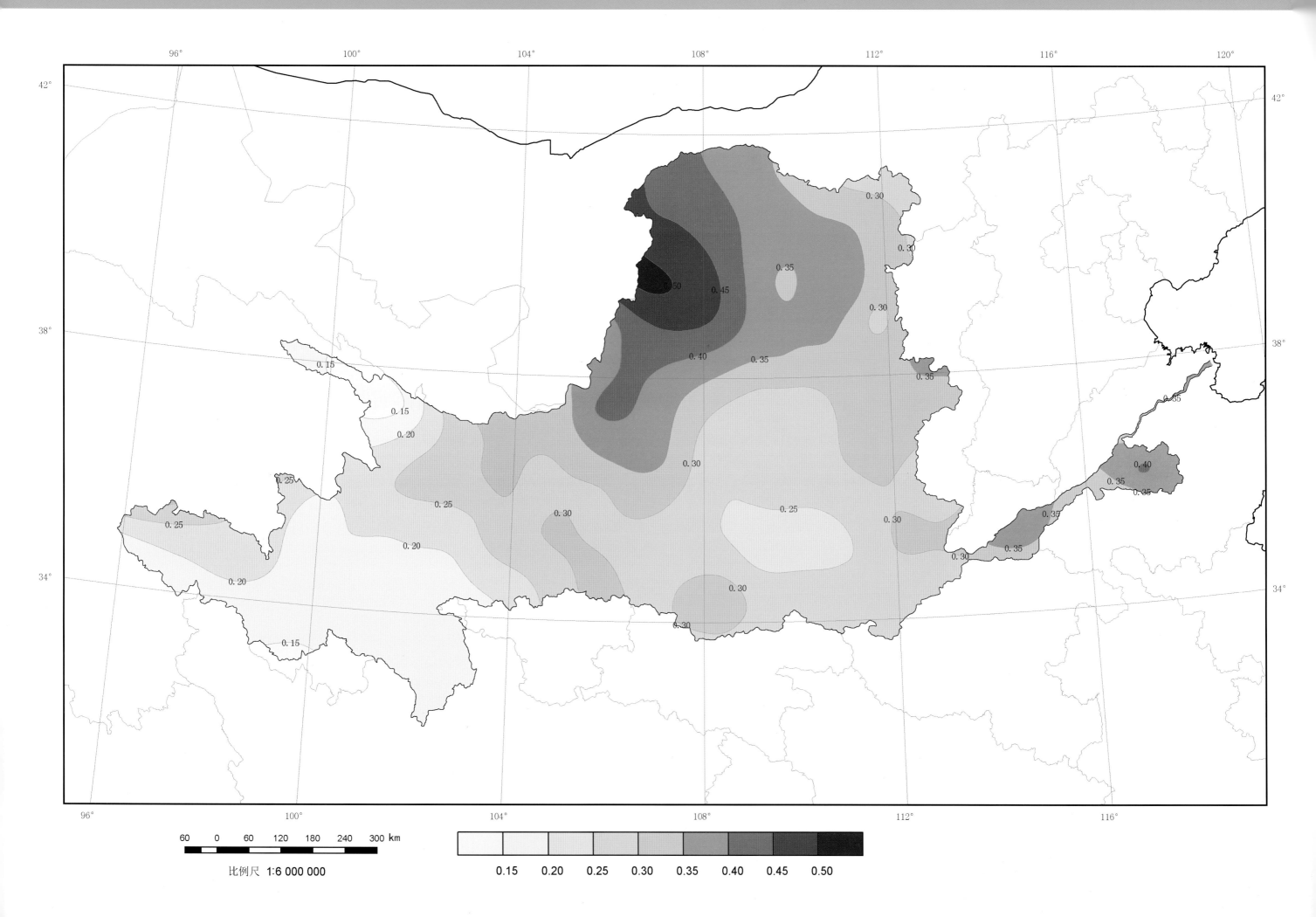

60 0 60 120 180 240 300 km

比例尺 1:6 000 000

0.15   0.20   0.25   0.30   0.35   0.40   0.45   0.50

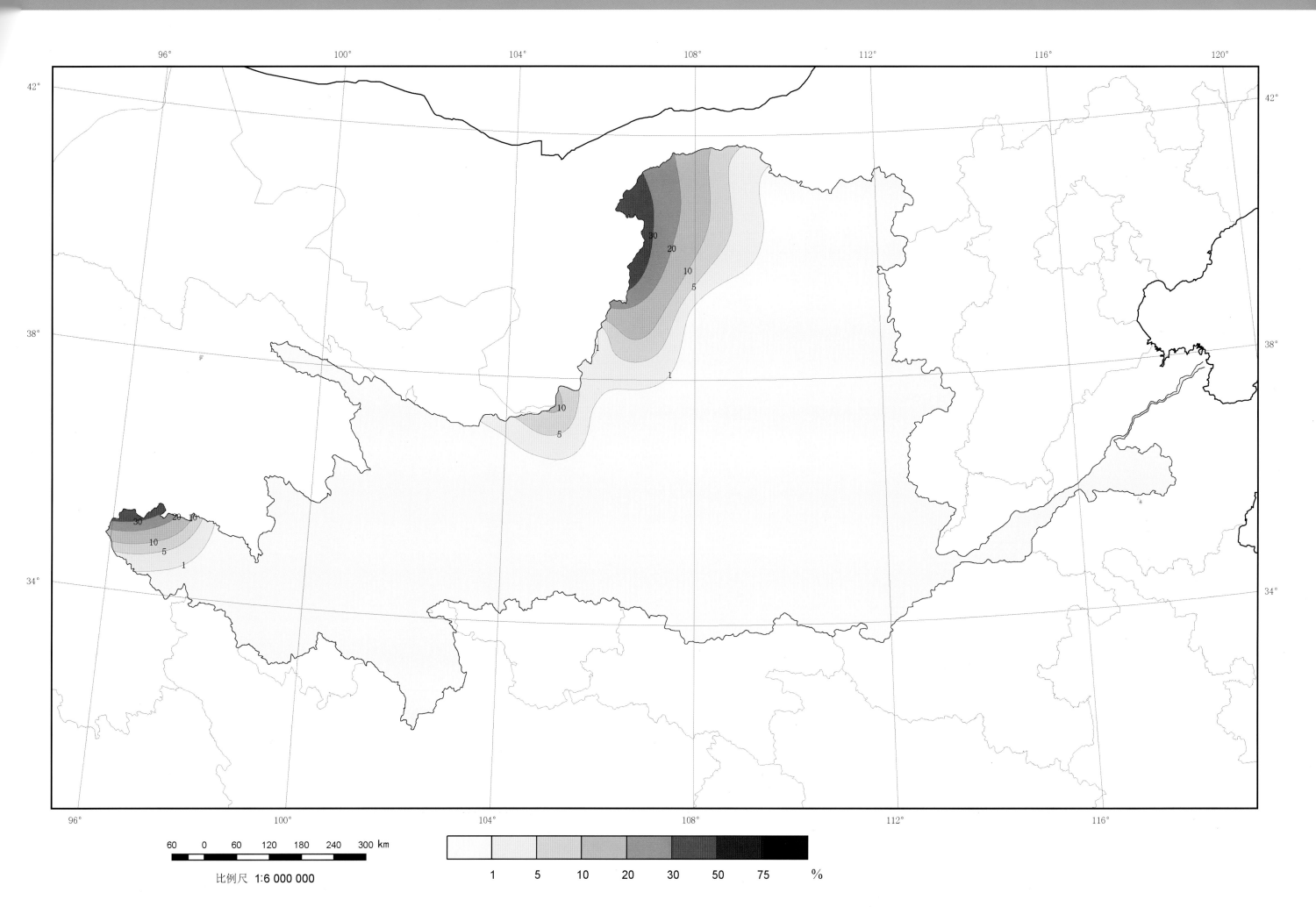

比例尺 1:6 000 000

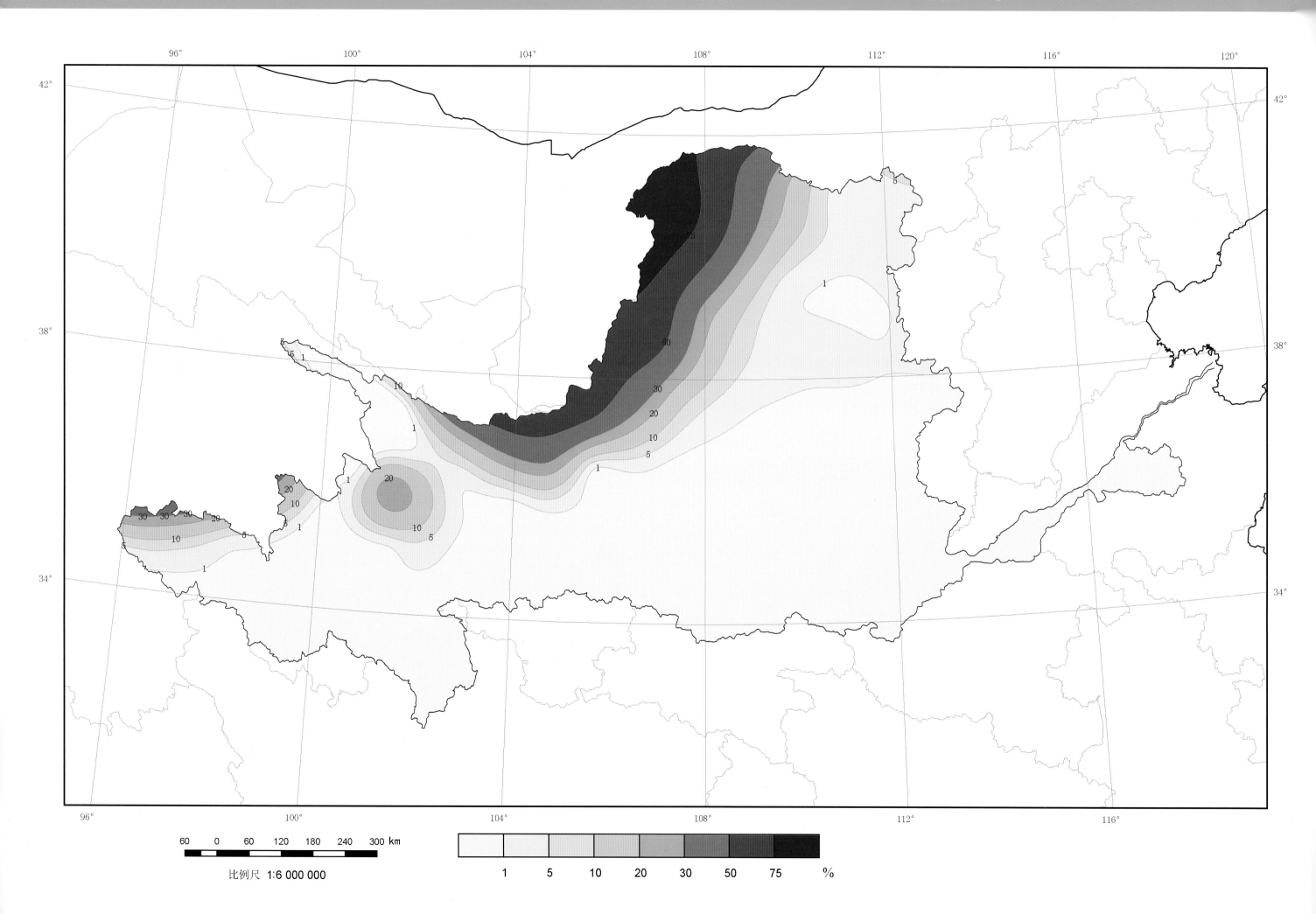

比例尺 1:6 000 000

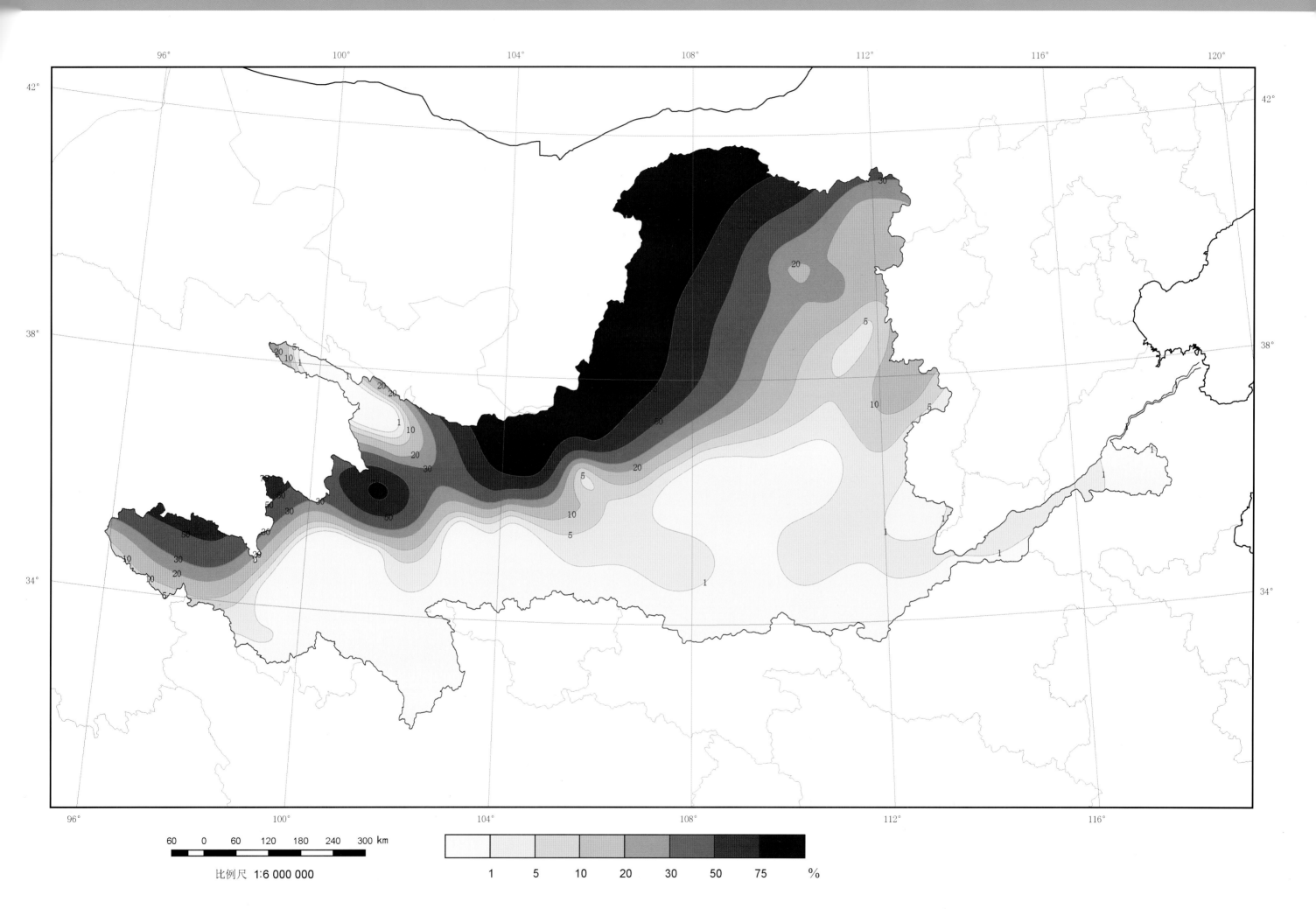

比例尺 1:6 000 000

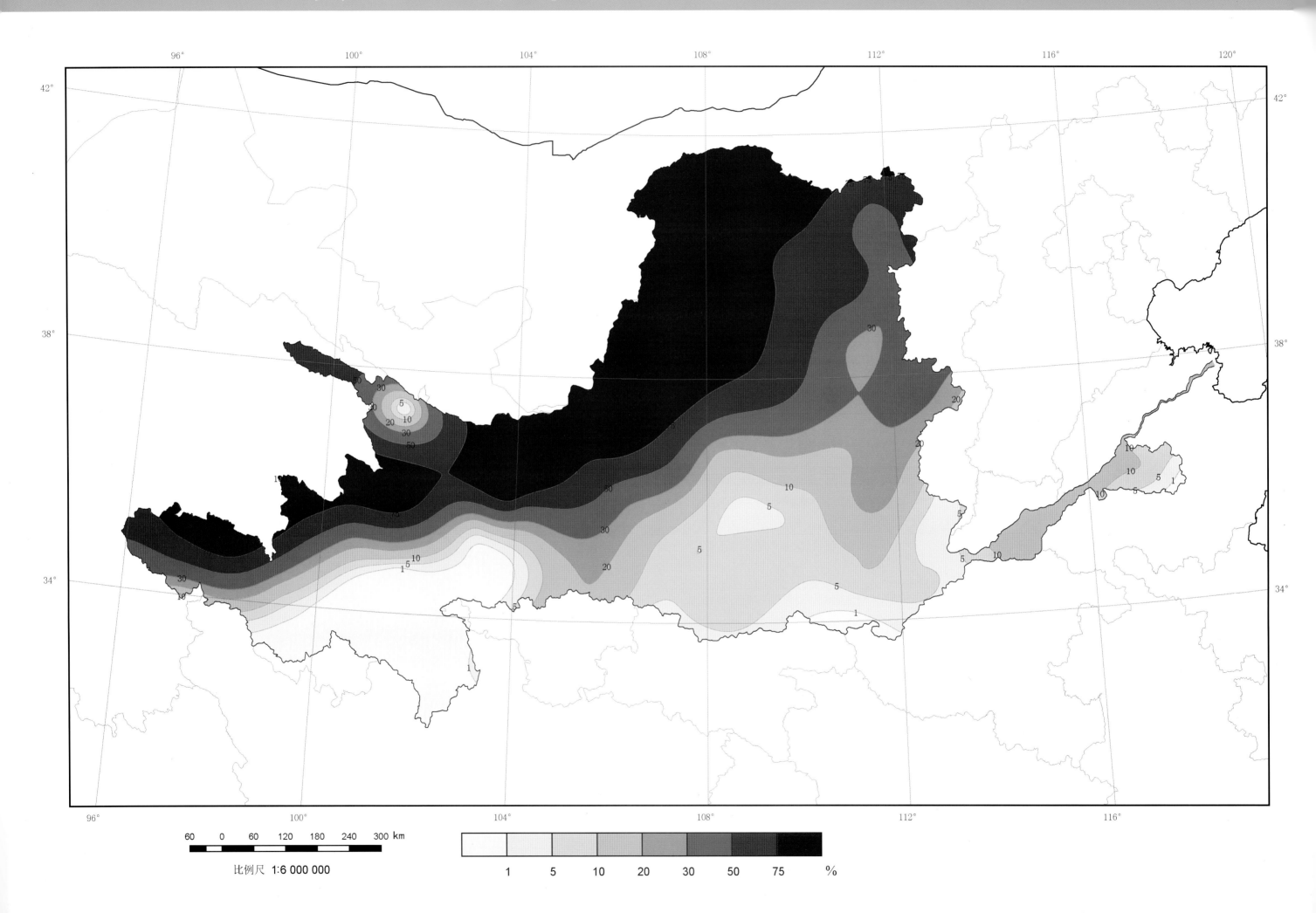

60　0　60　120　180　240　300 km

比例尺　1:6 000 000

1　5　10　20　30　50　75　%

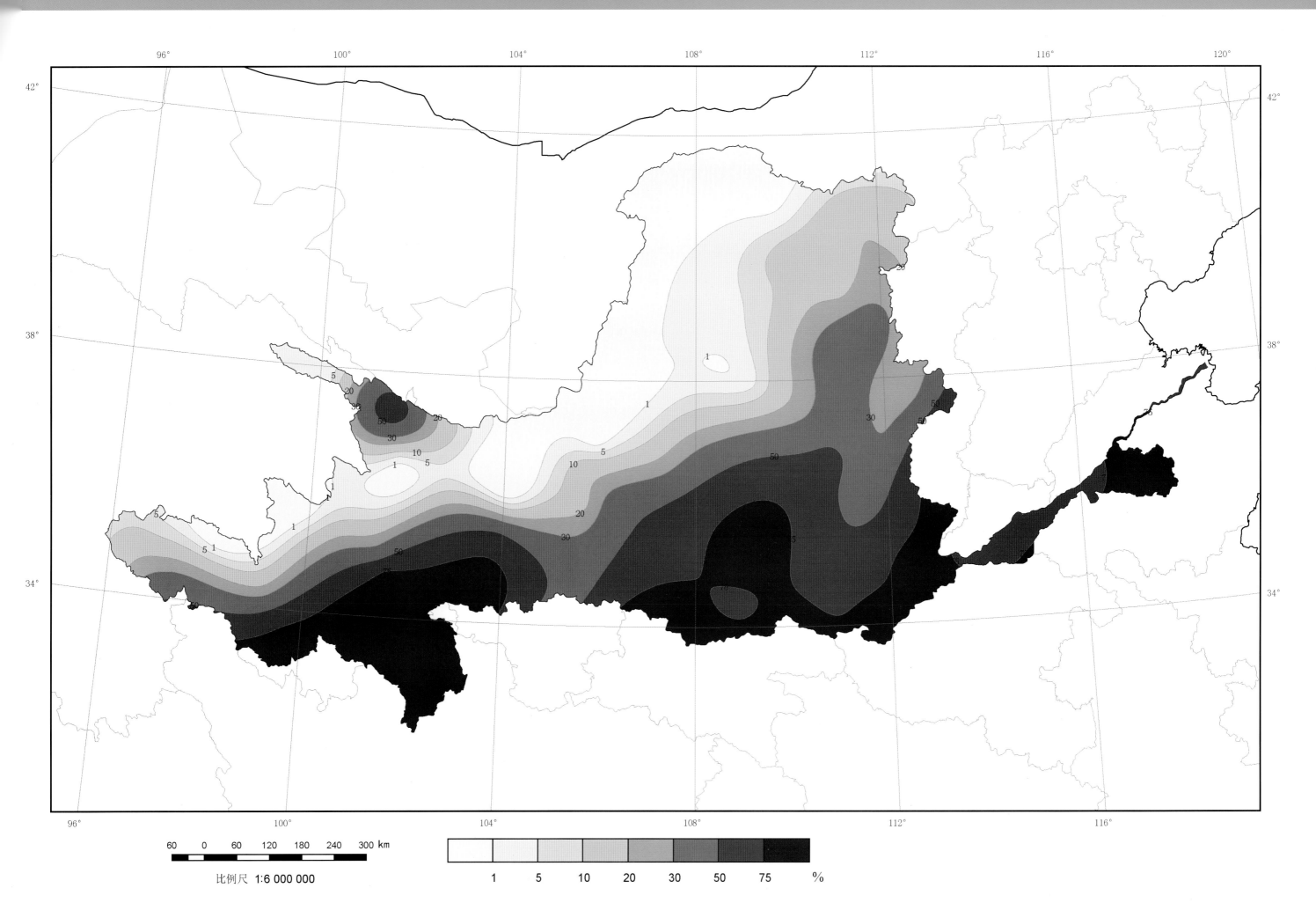

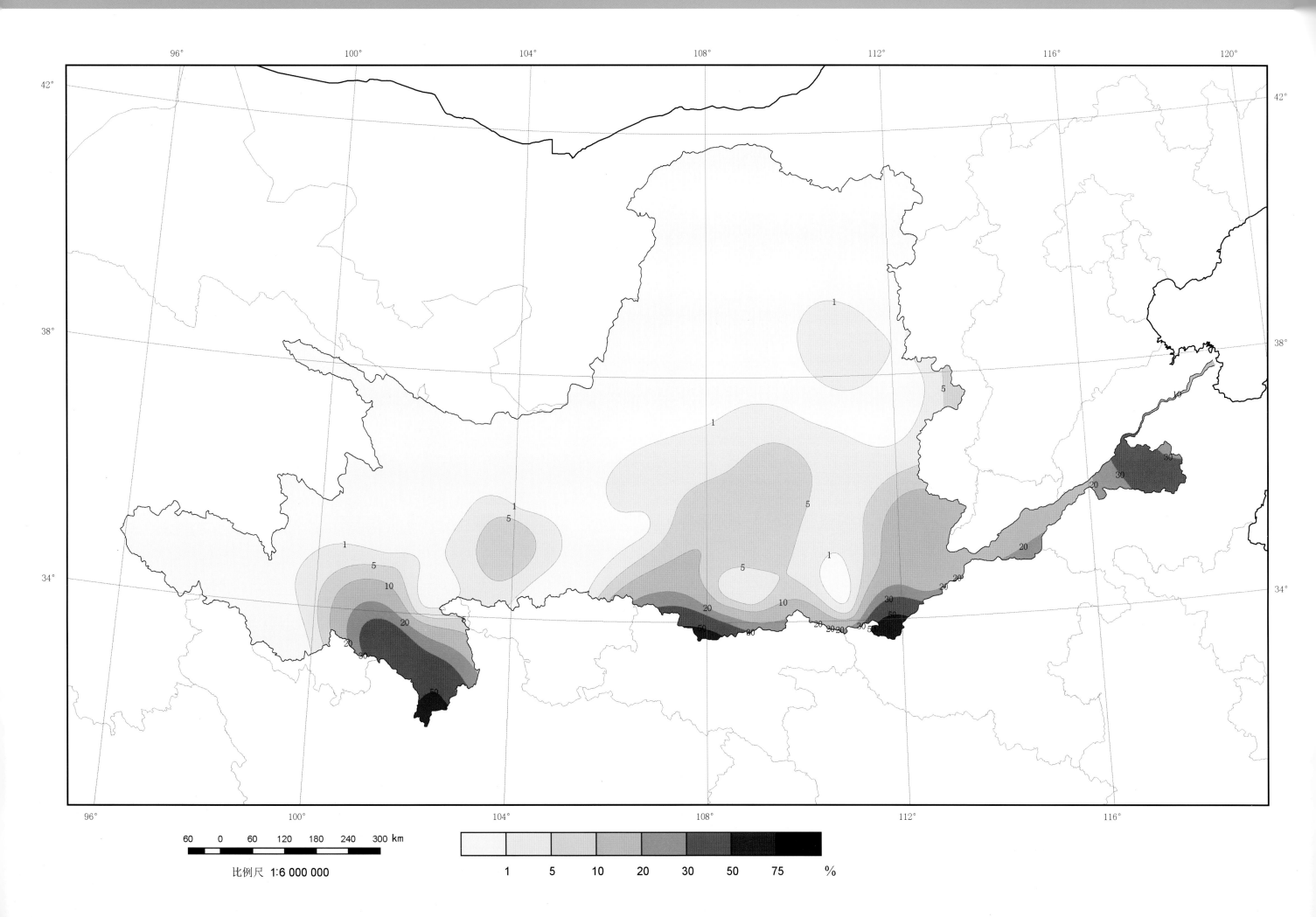

比例尺 1:6 000 000

60　0　60　120　180　240　300 km

1　5　10　20　30　50　75　%

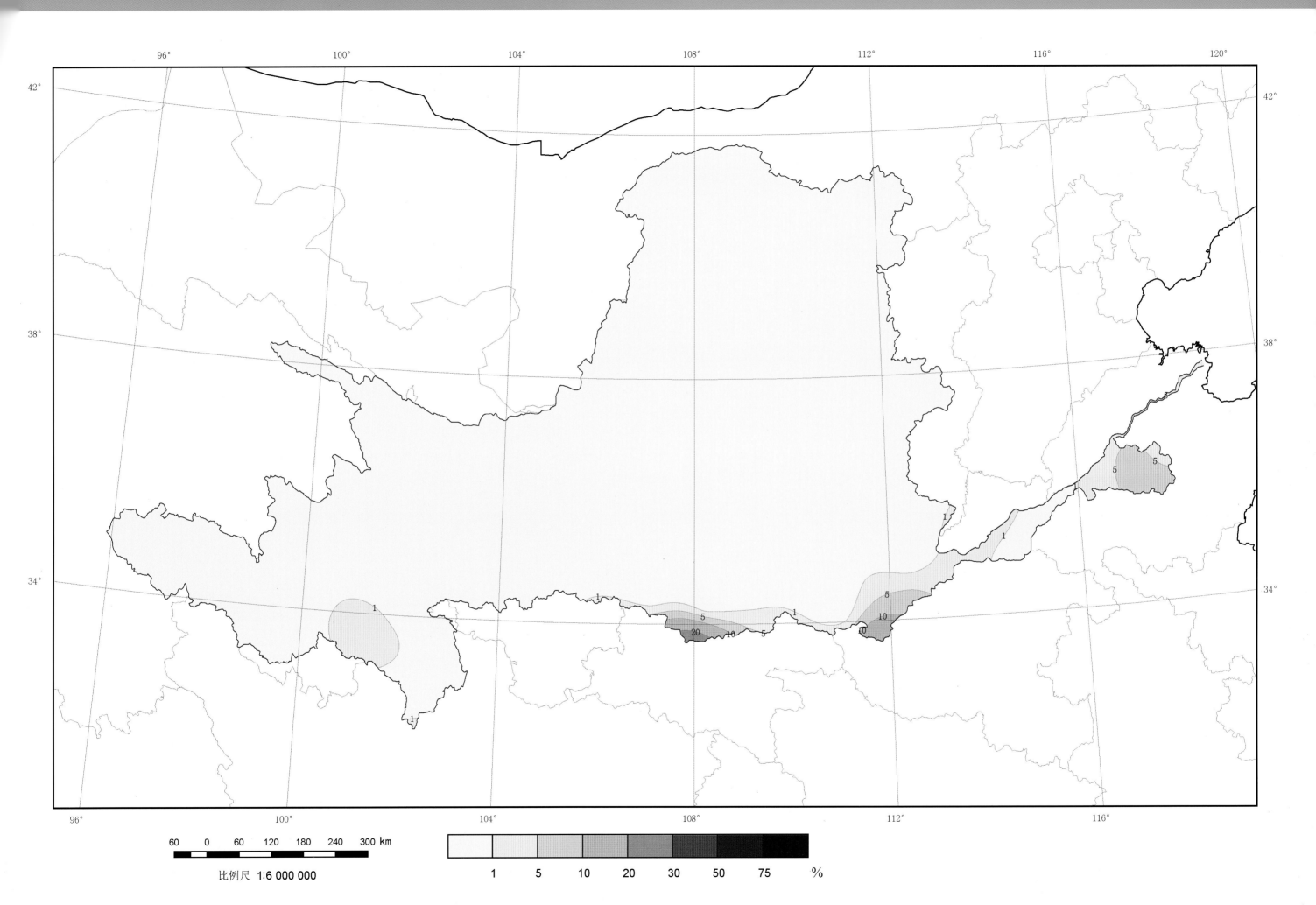

比例尺 1:6 000 000

60 0 60 120 180 240 300 km

1 5 10 20 30 50 75 %

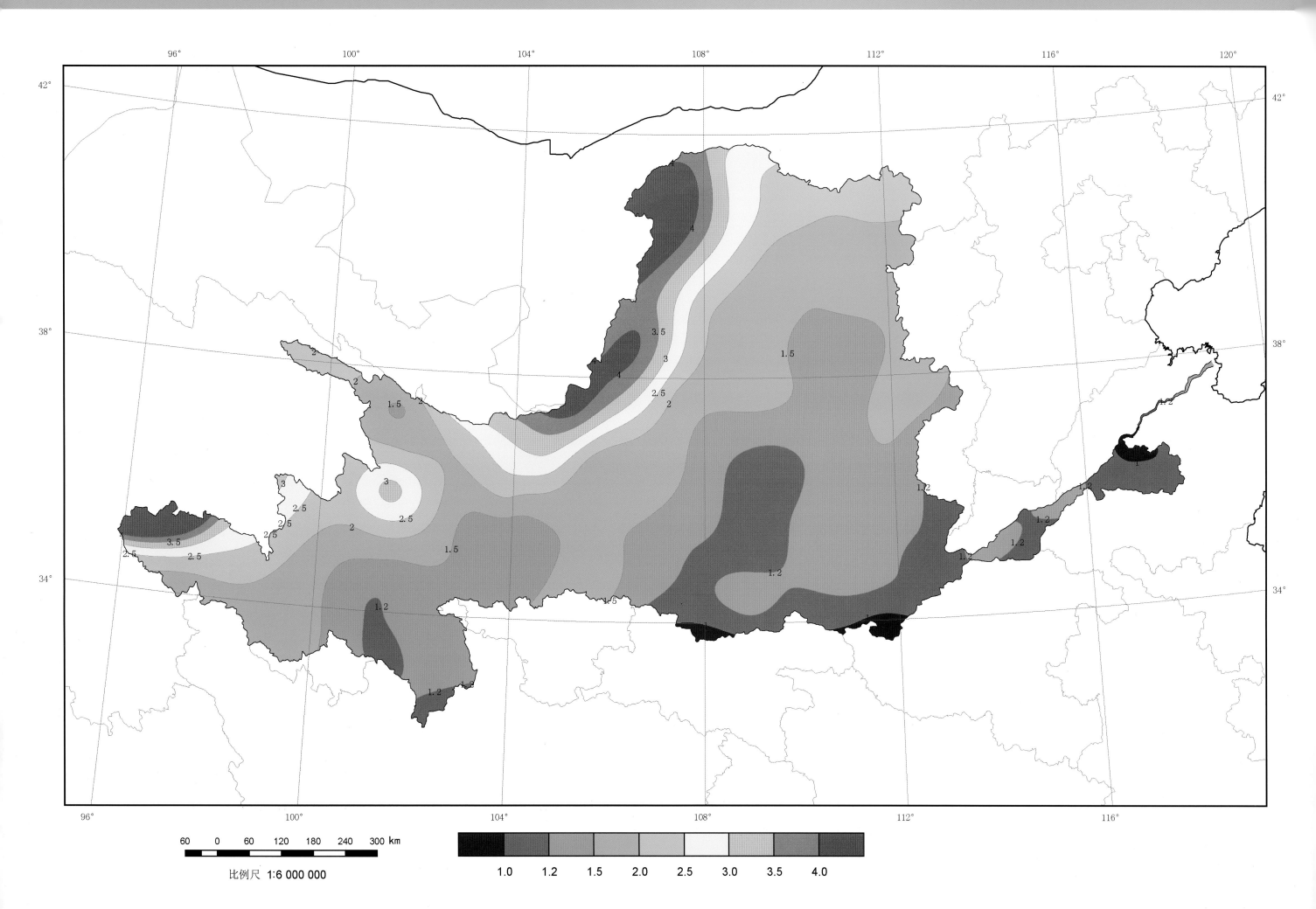

比例尺 1:6 000 000

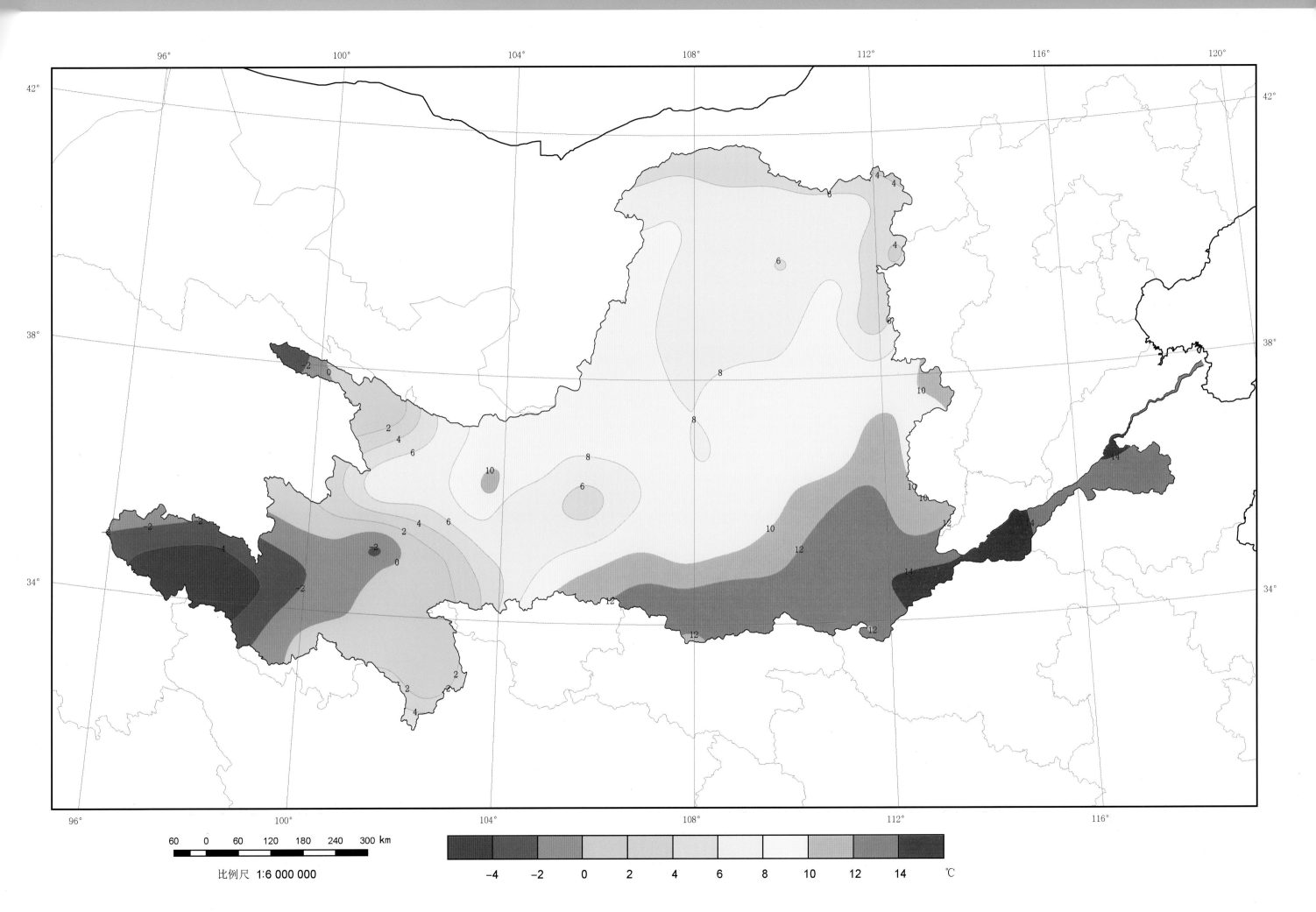

60 0 60 120 180 240 300 km

-4 -2 0 2 4 6 8 10 12 14 ℃

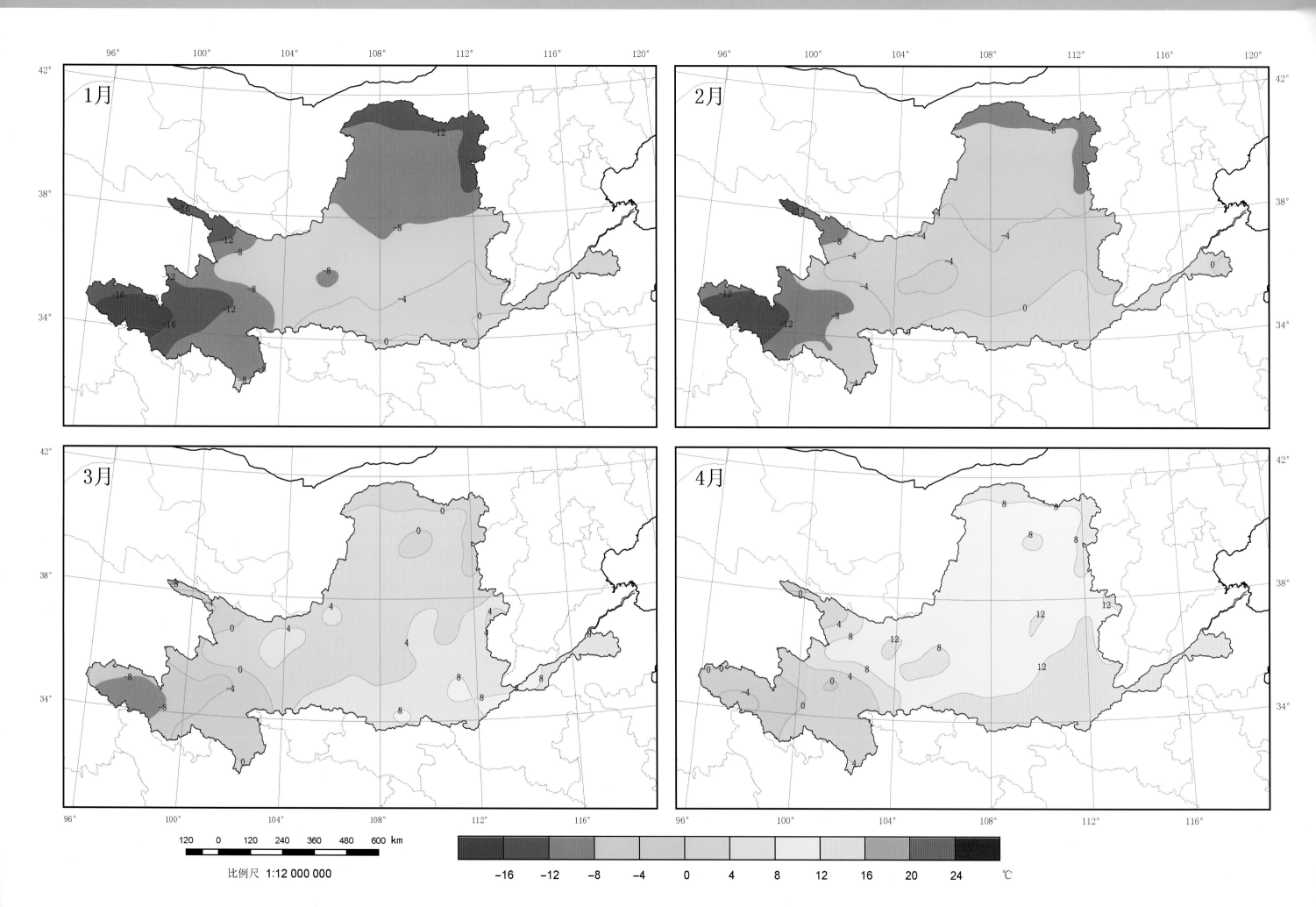

比例尺　1:12 000 000

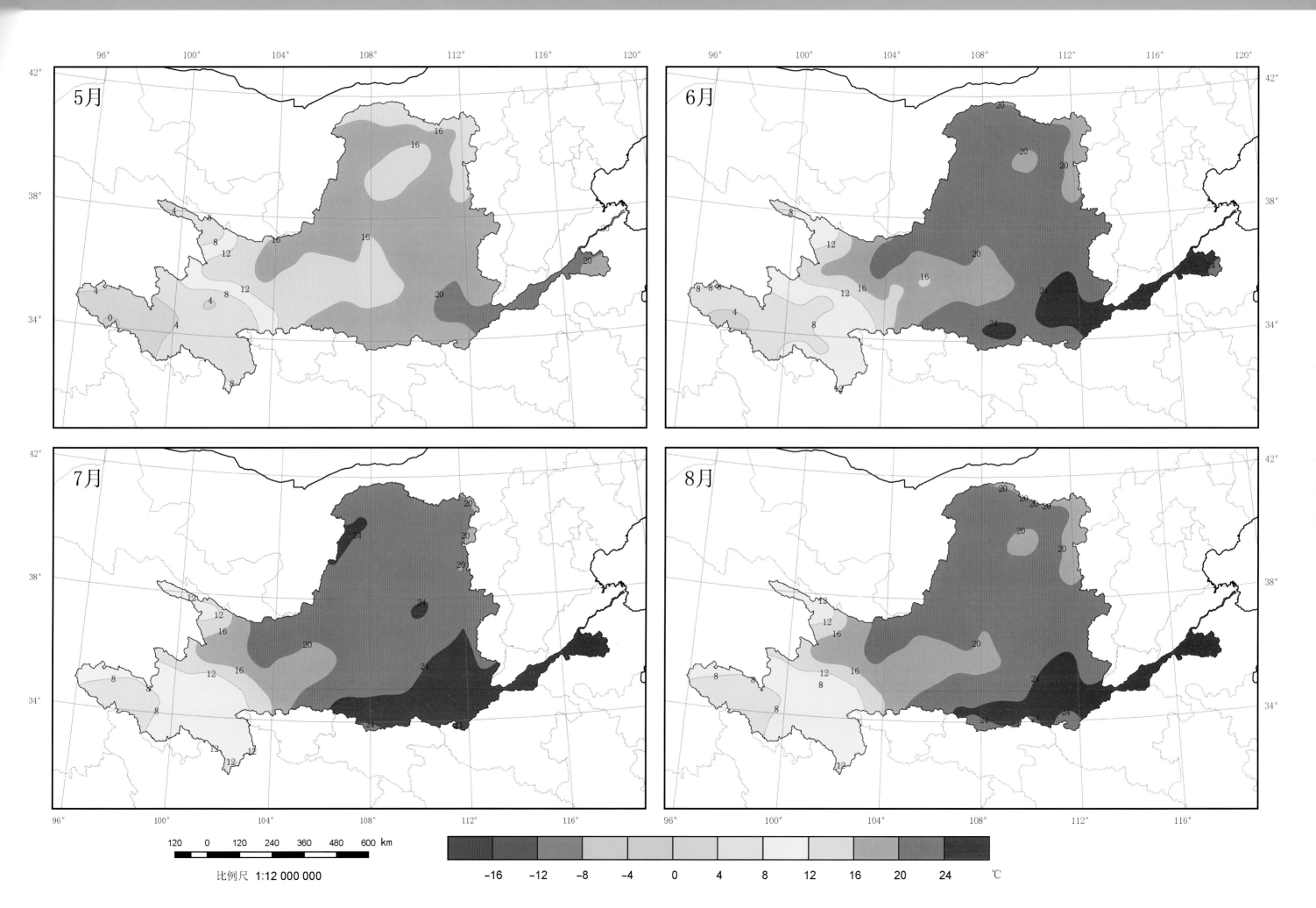

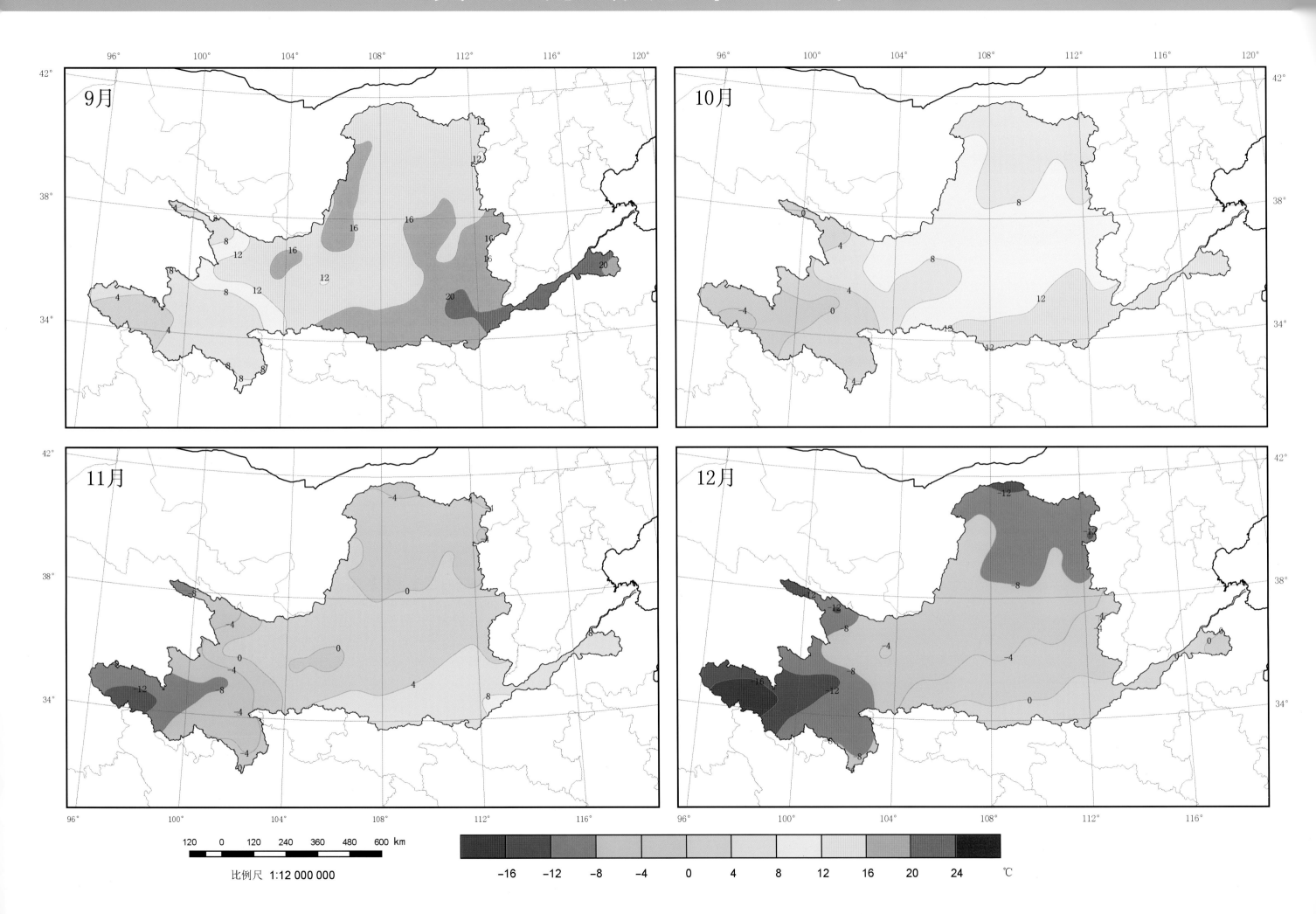

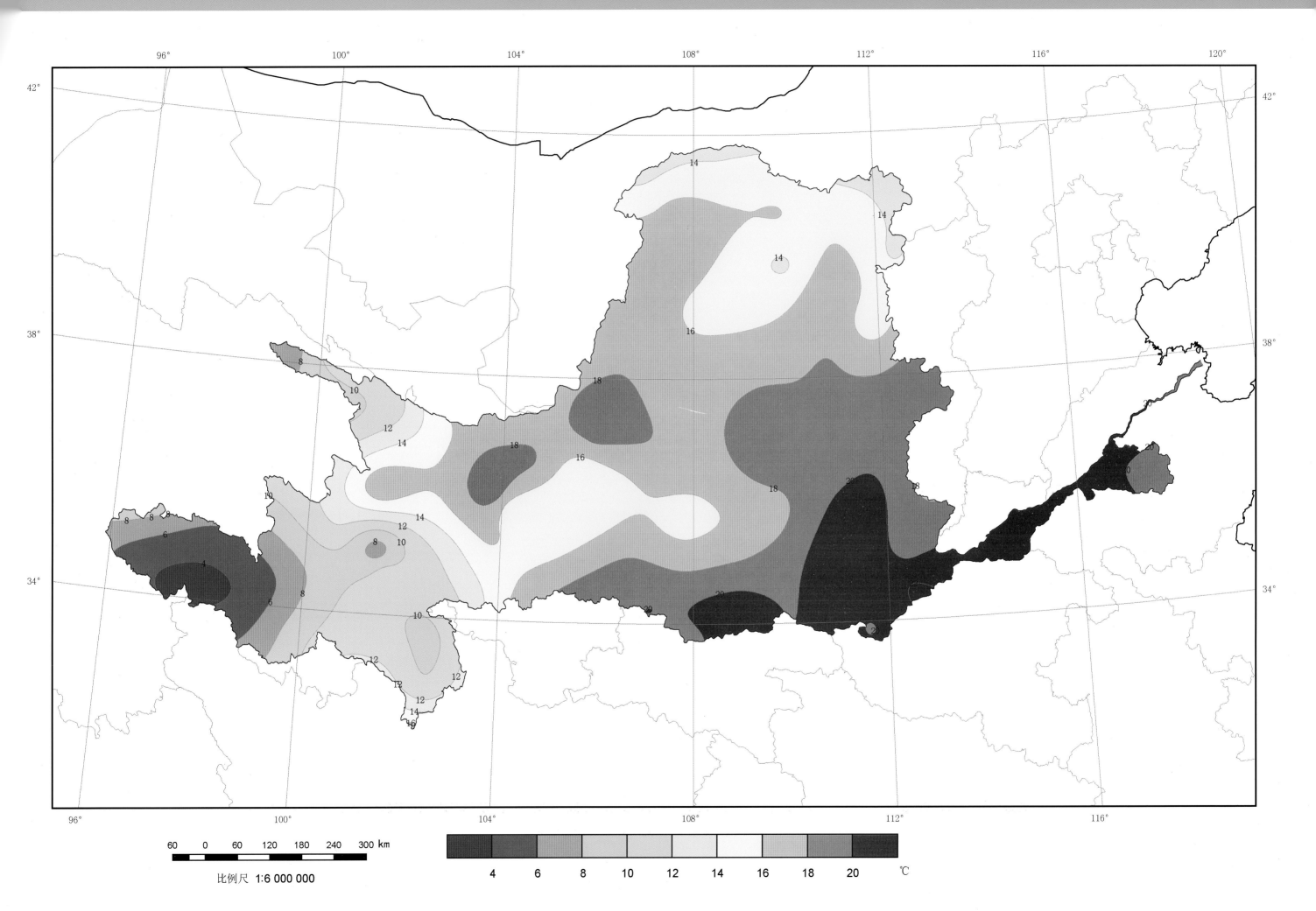

黄河流域月平均最高气温

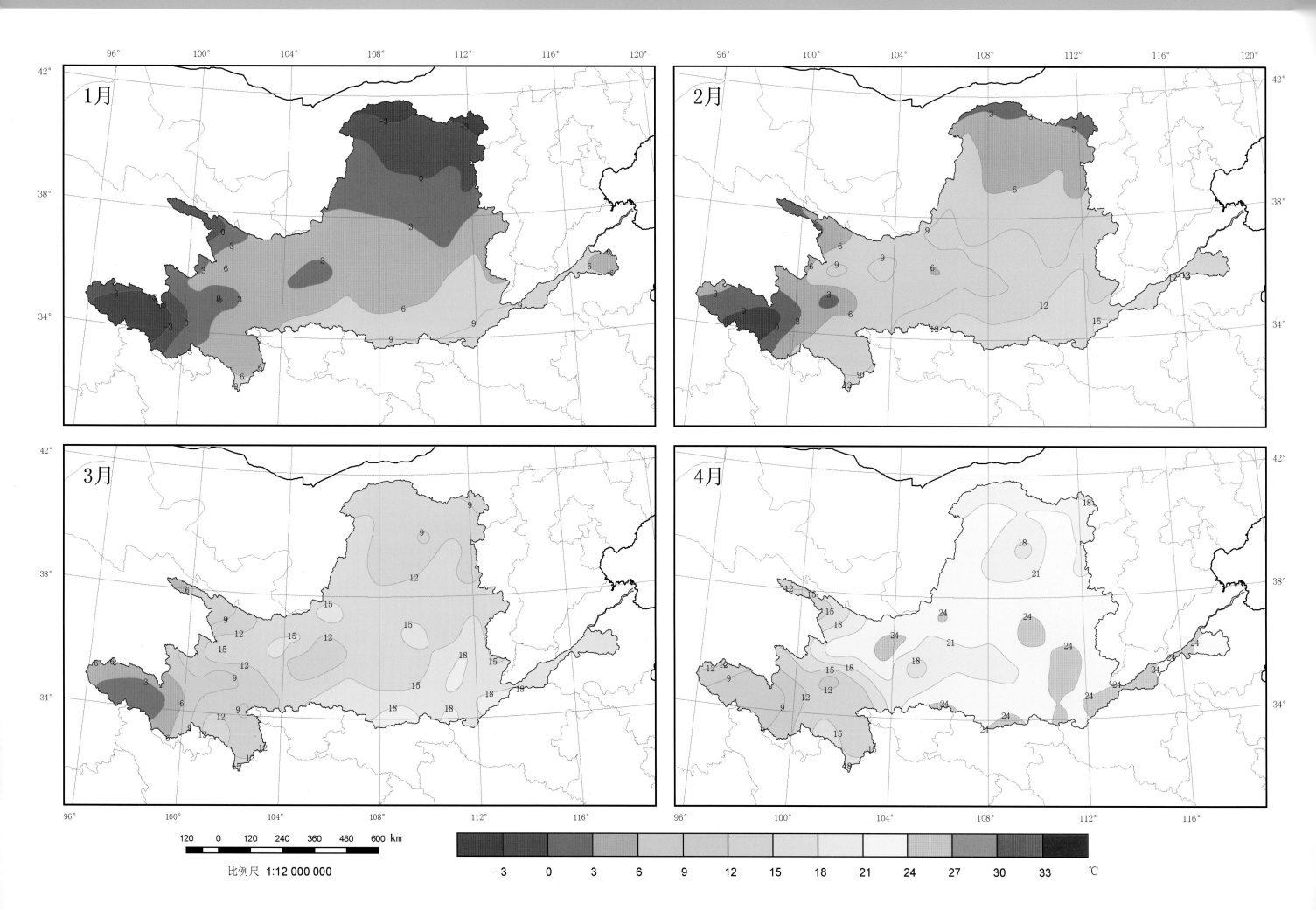

比例尺 1:12 000 000

120 0 120 240 360 480 600 km

-3 0 3 6 9 12 15 18 21 24 27 30 33 ℃

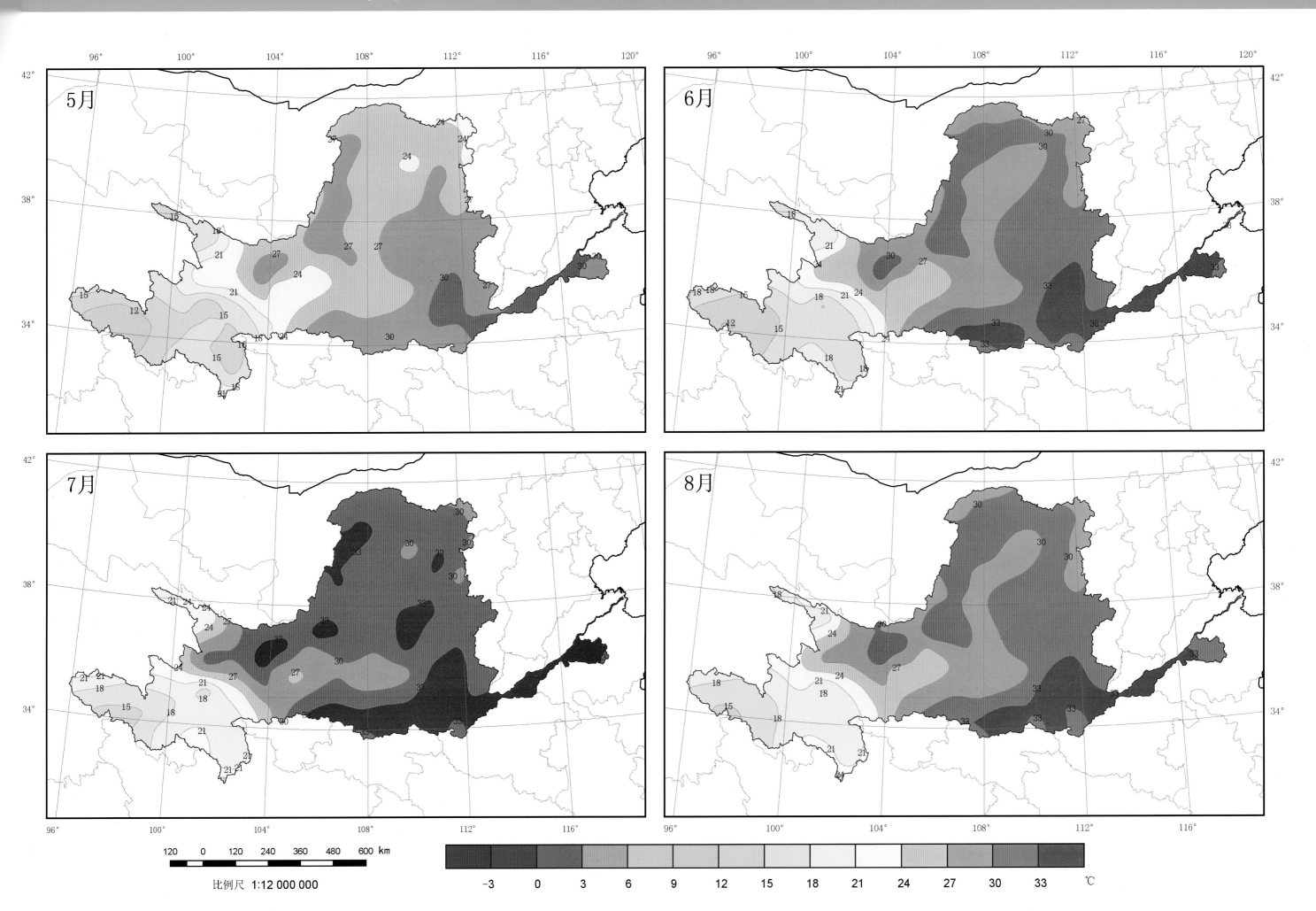

比例尺 1:12 000 000

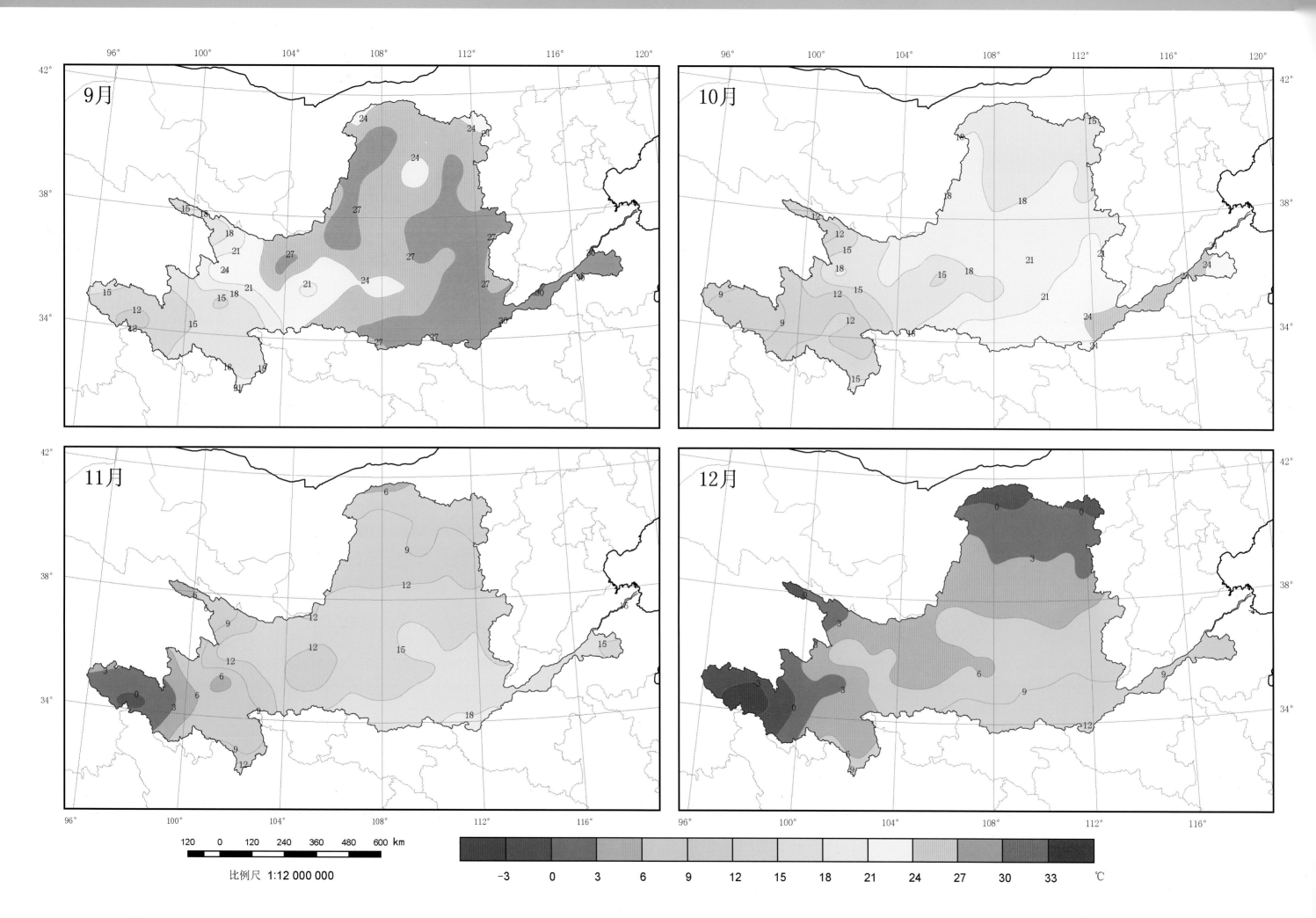

比例尺 1:12 000 000

℃

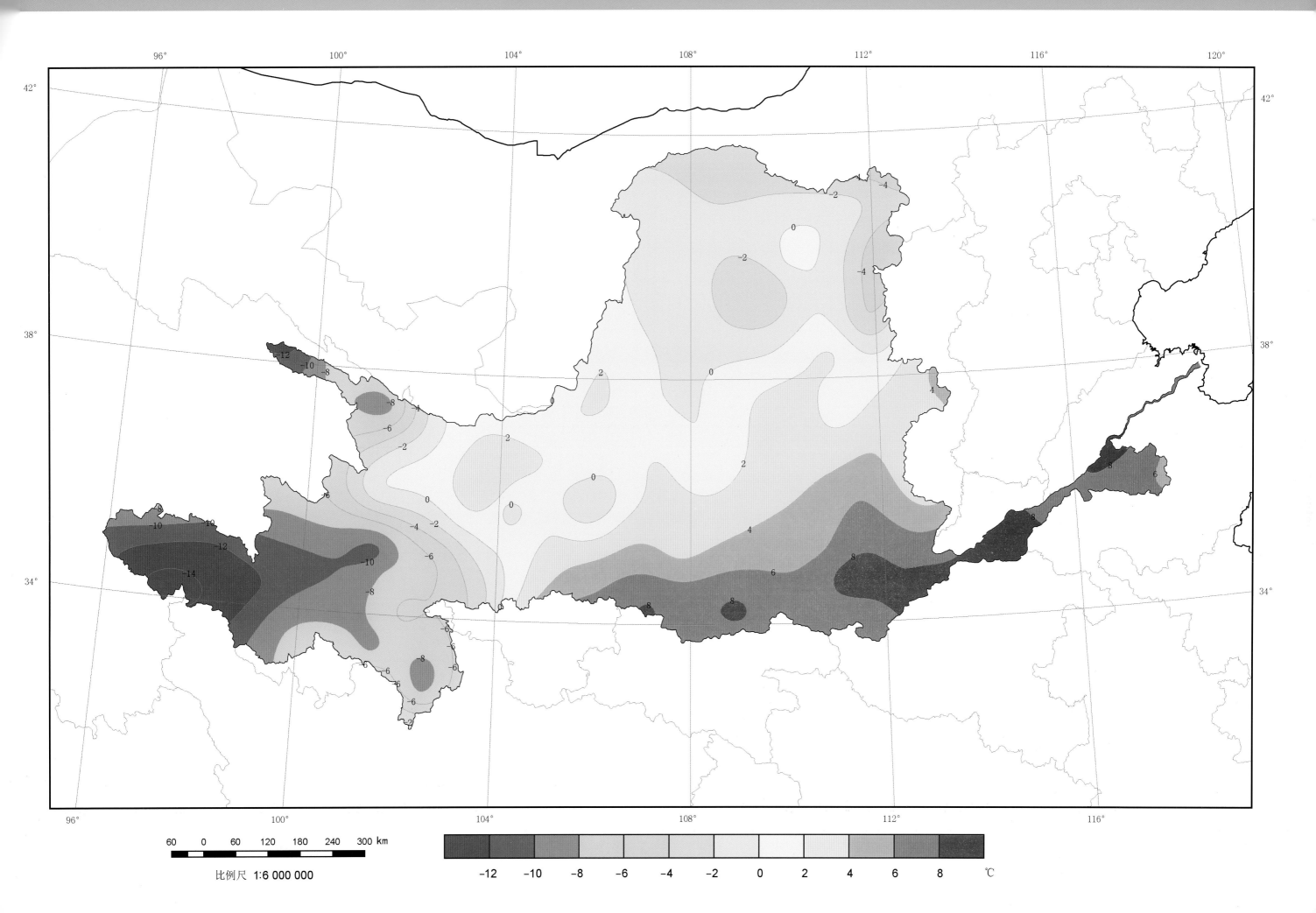

比例尺 1:6 000 000

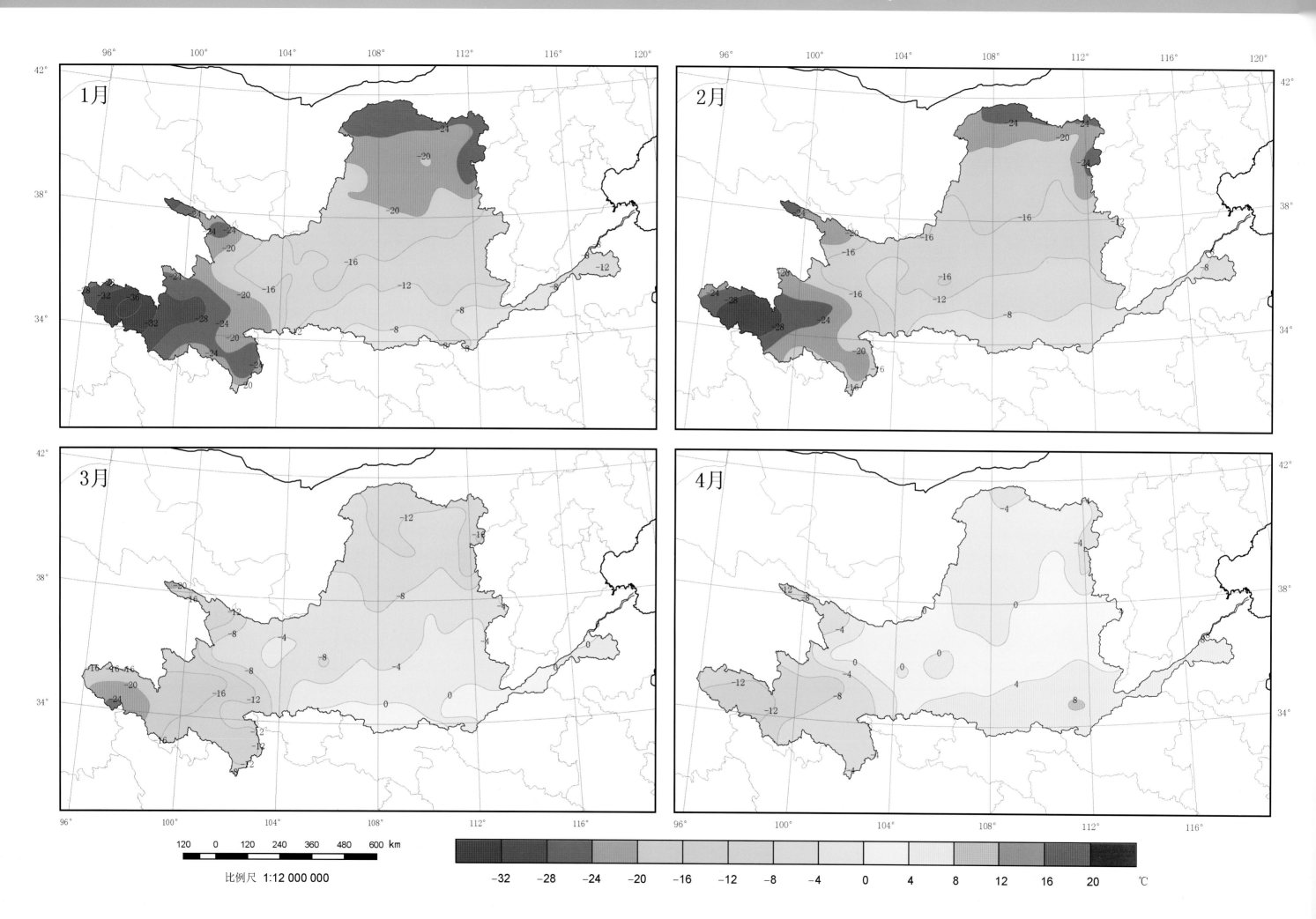

比例尺 1:12 000 000

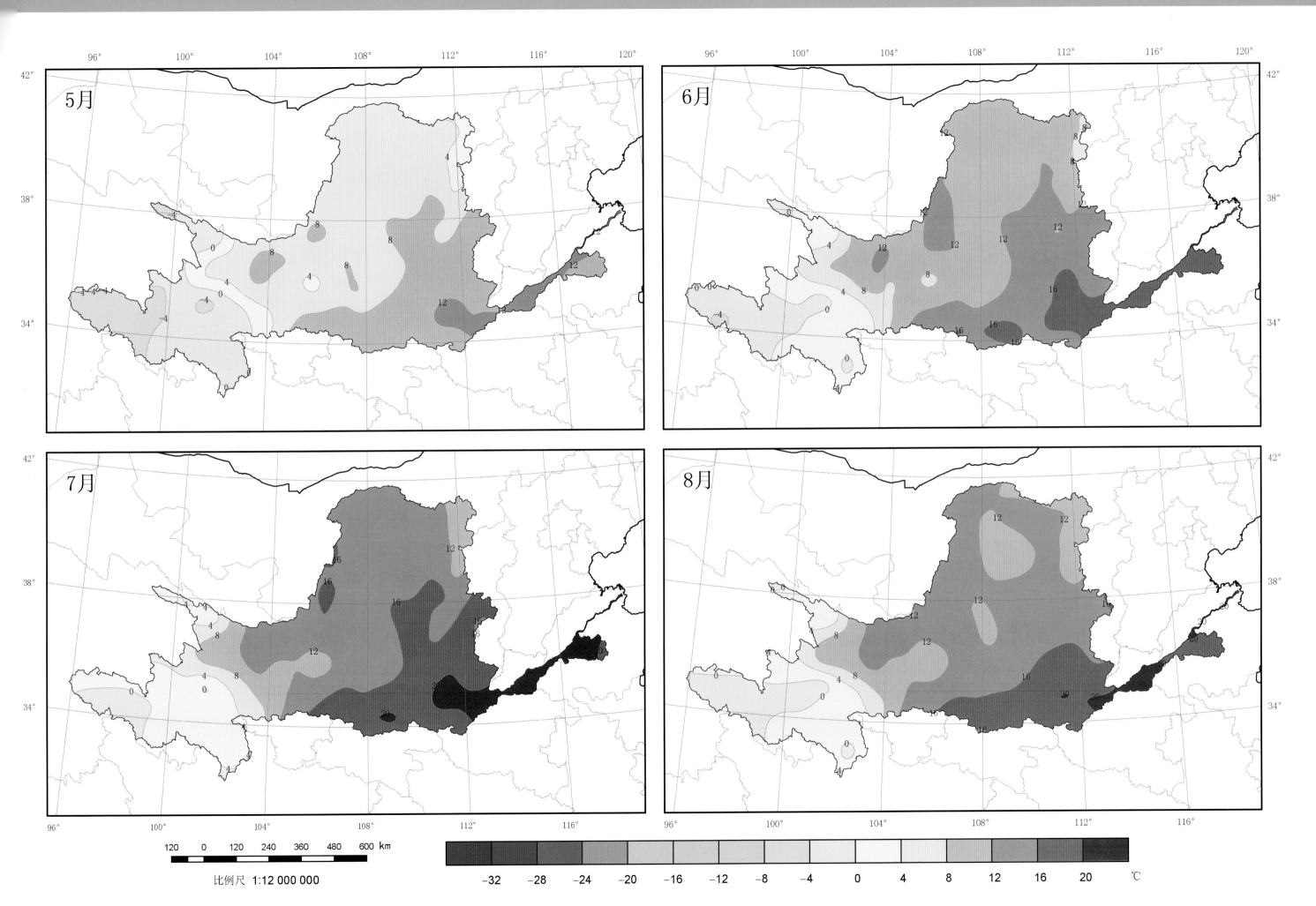

比例尺 1:12 000 000

120 0 120 240 360 480 600 km

-32 -28 -24 -20 -16 -12 -8 -4 0 4 8 12 16 20 ℃

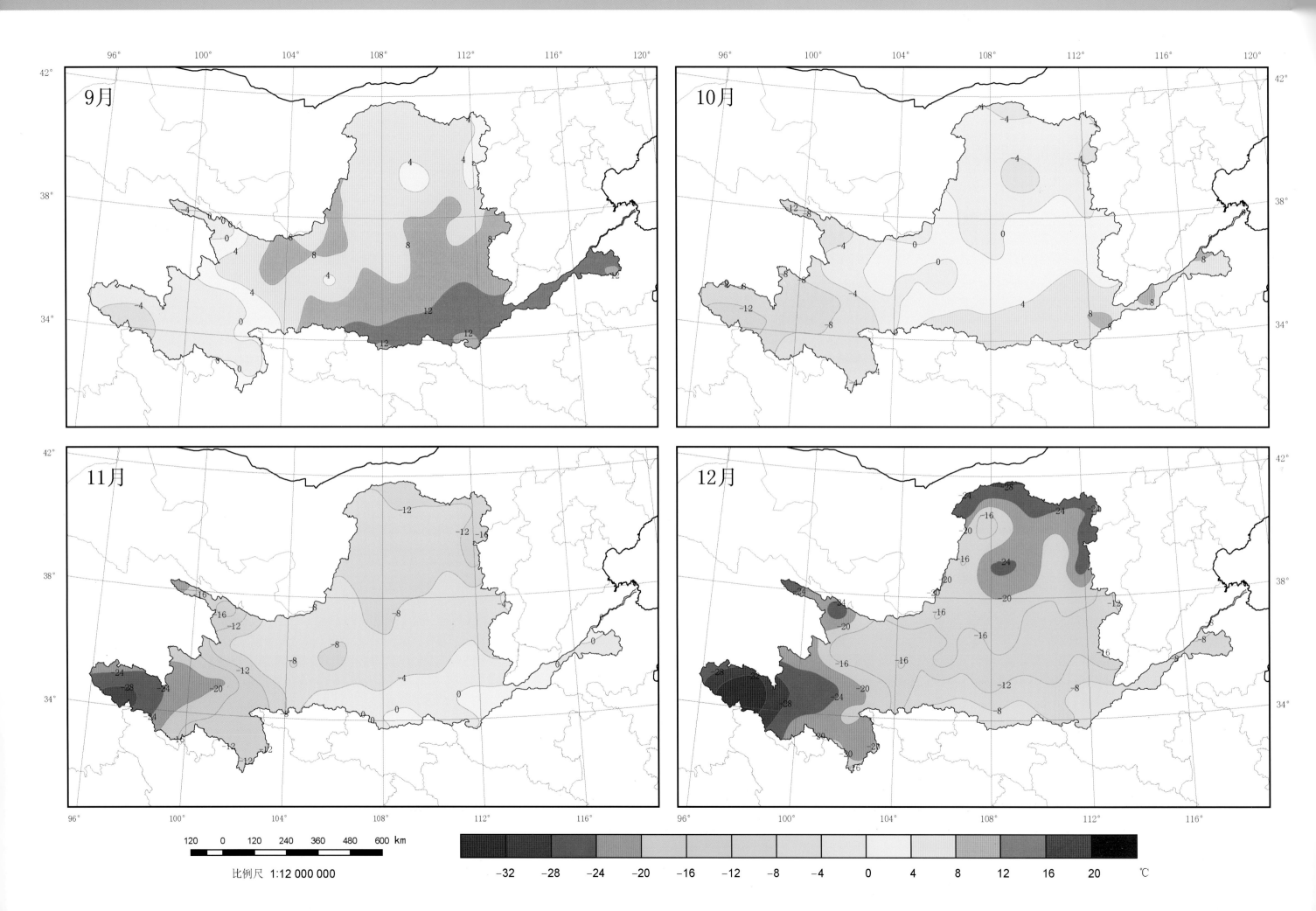

比例尺 1:12 000 000

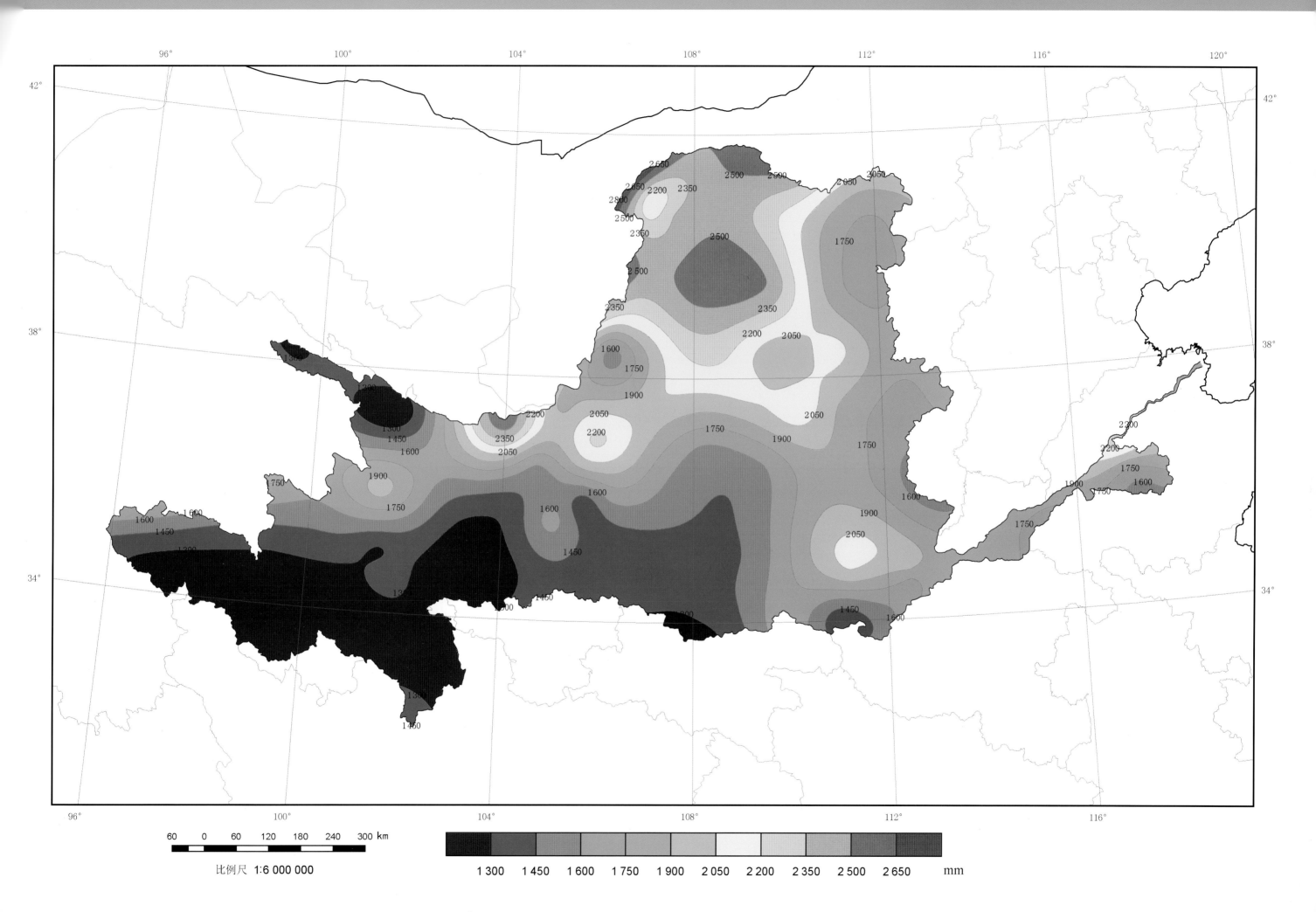

比例尺 1:6 000 000

1 300　1 450　1 600　1 750　1 900　2 050　2 200　2 350　2 500　2 650　mm

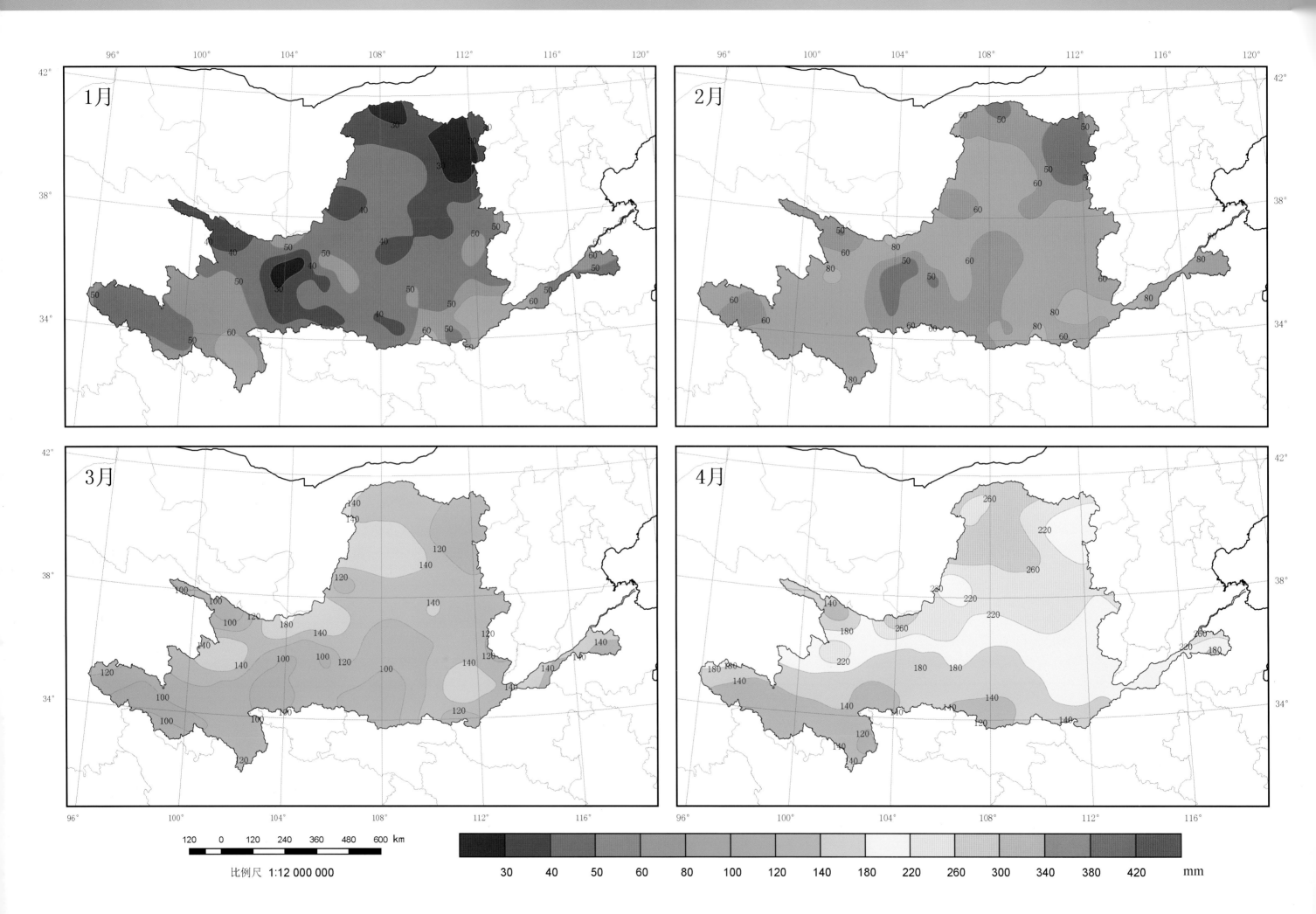

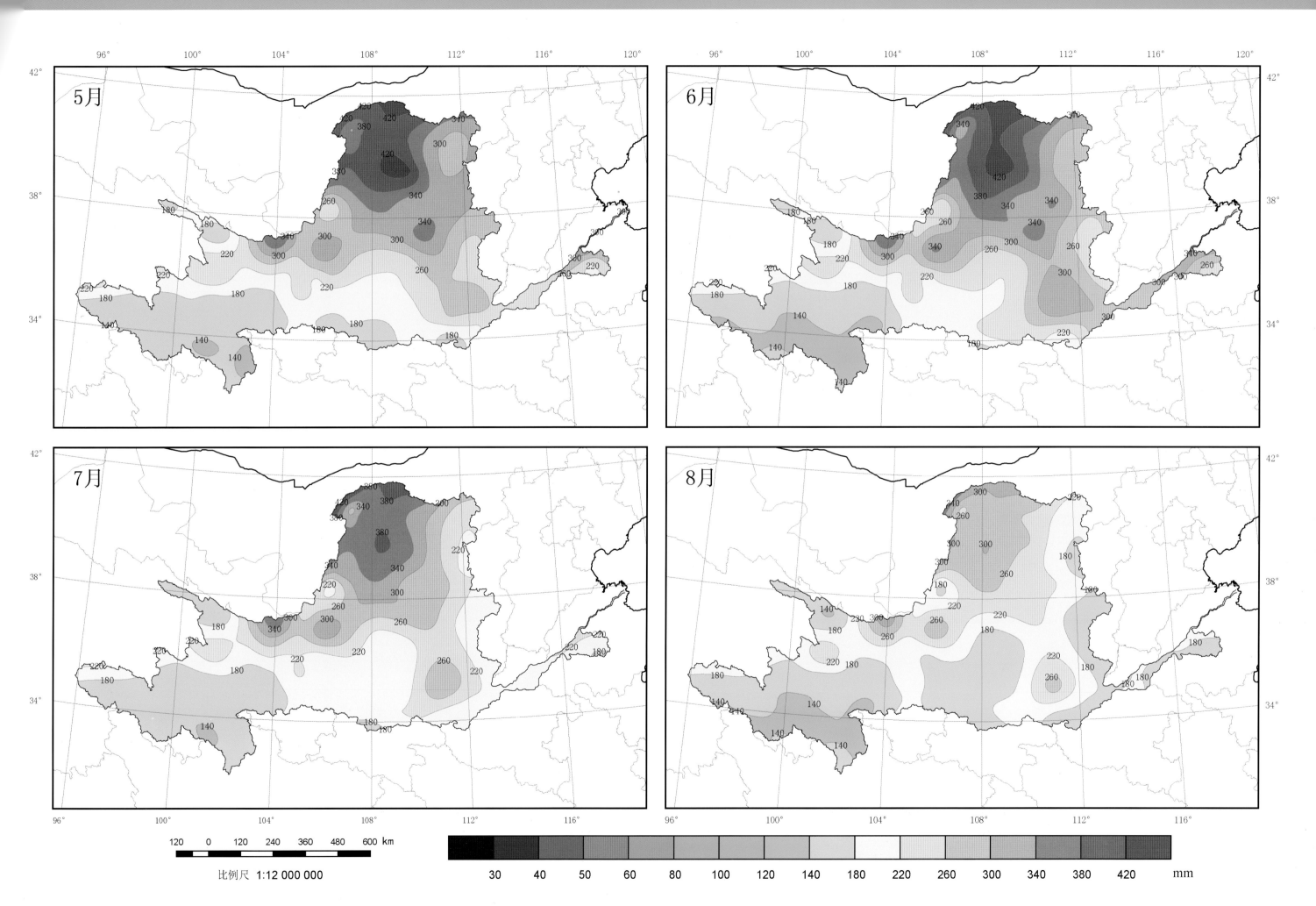

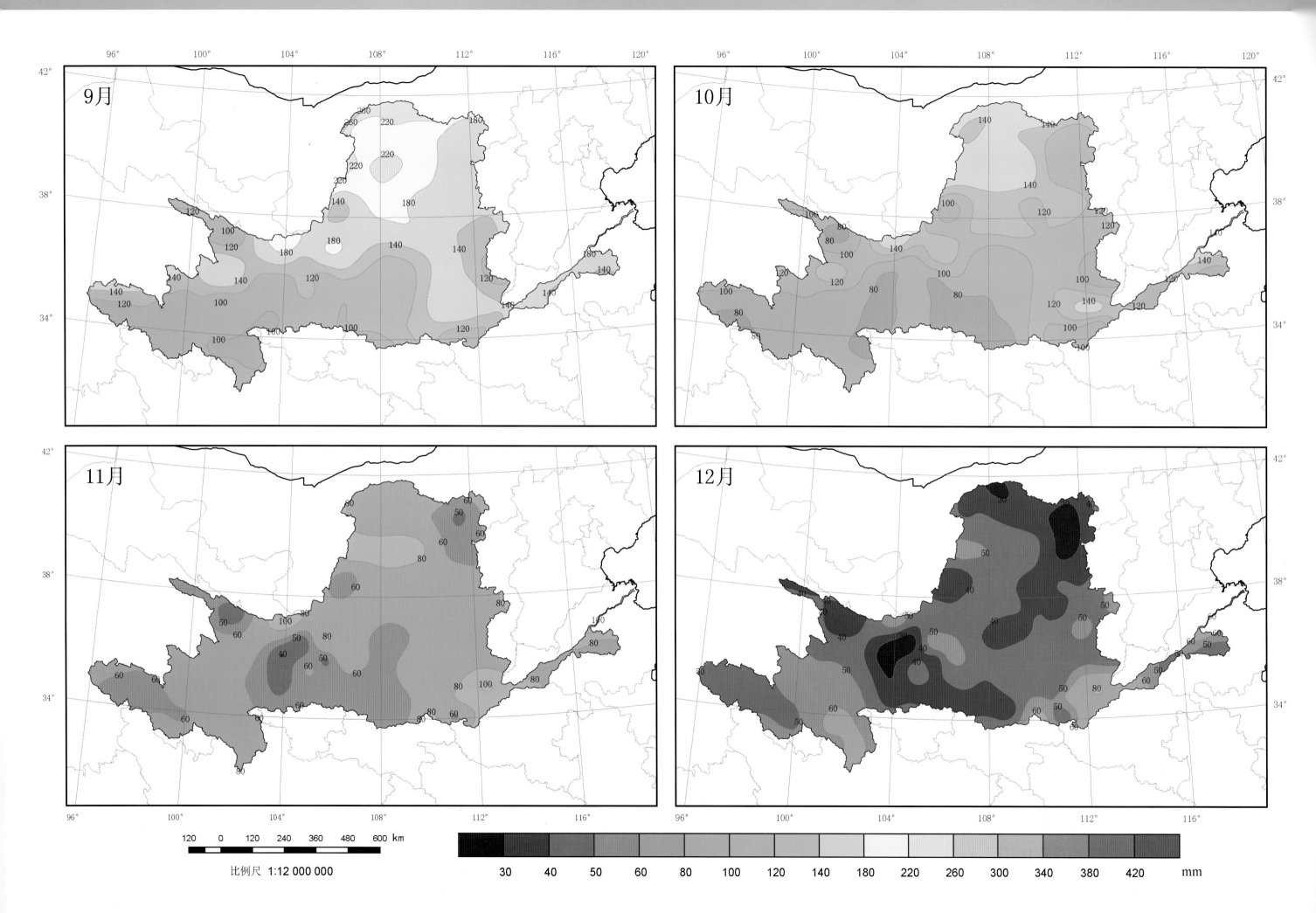

比例尺 1:12 000 000

mm

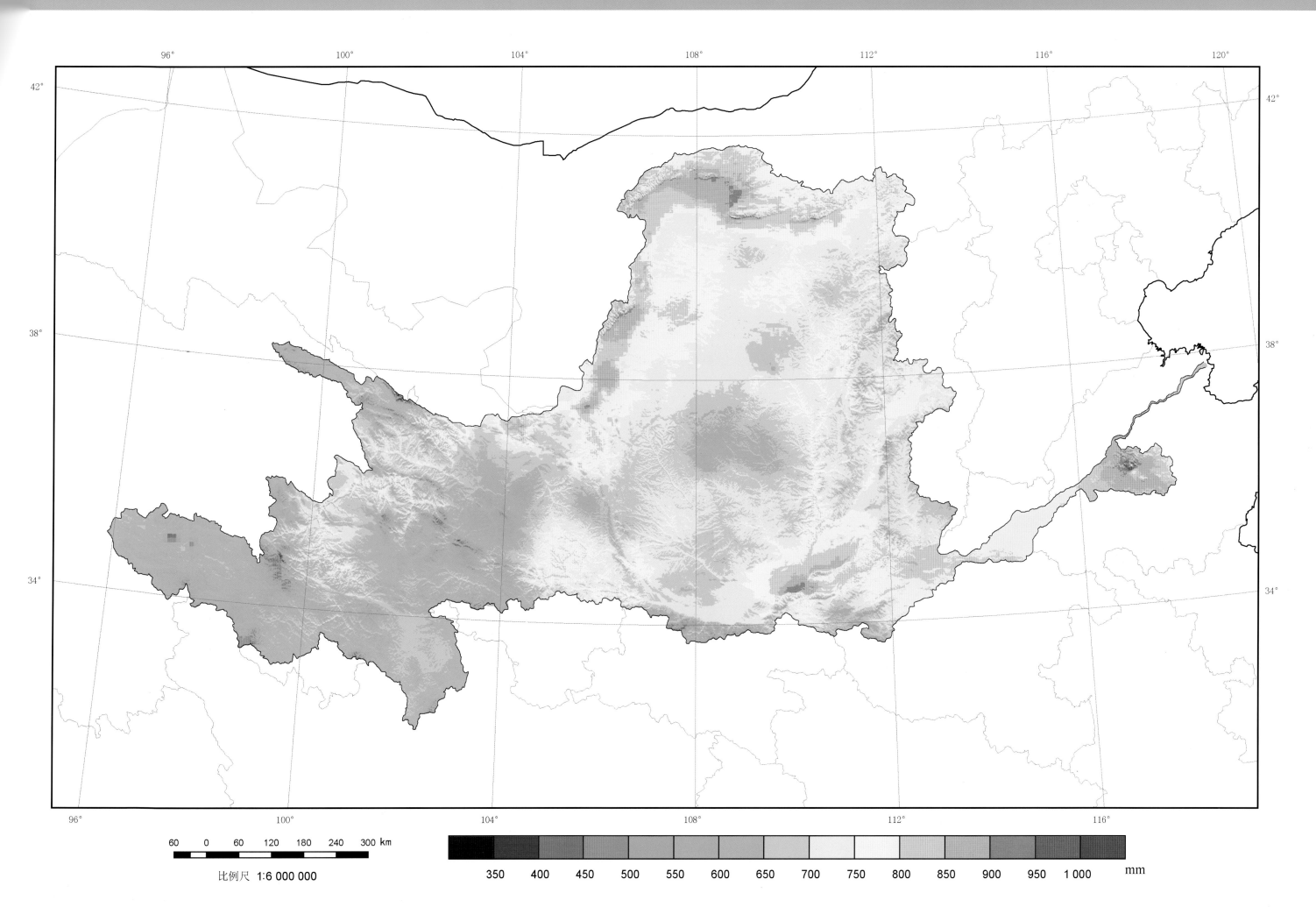

比例尺 1:6 000 000

350 400 450 500 550 600 650 700 750 800 850 900 950 1 000 mm

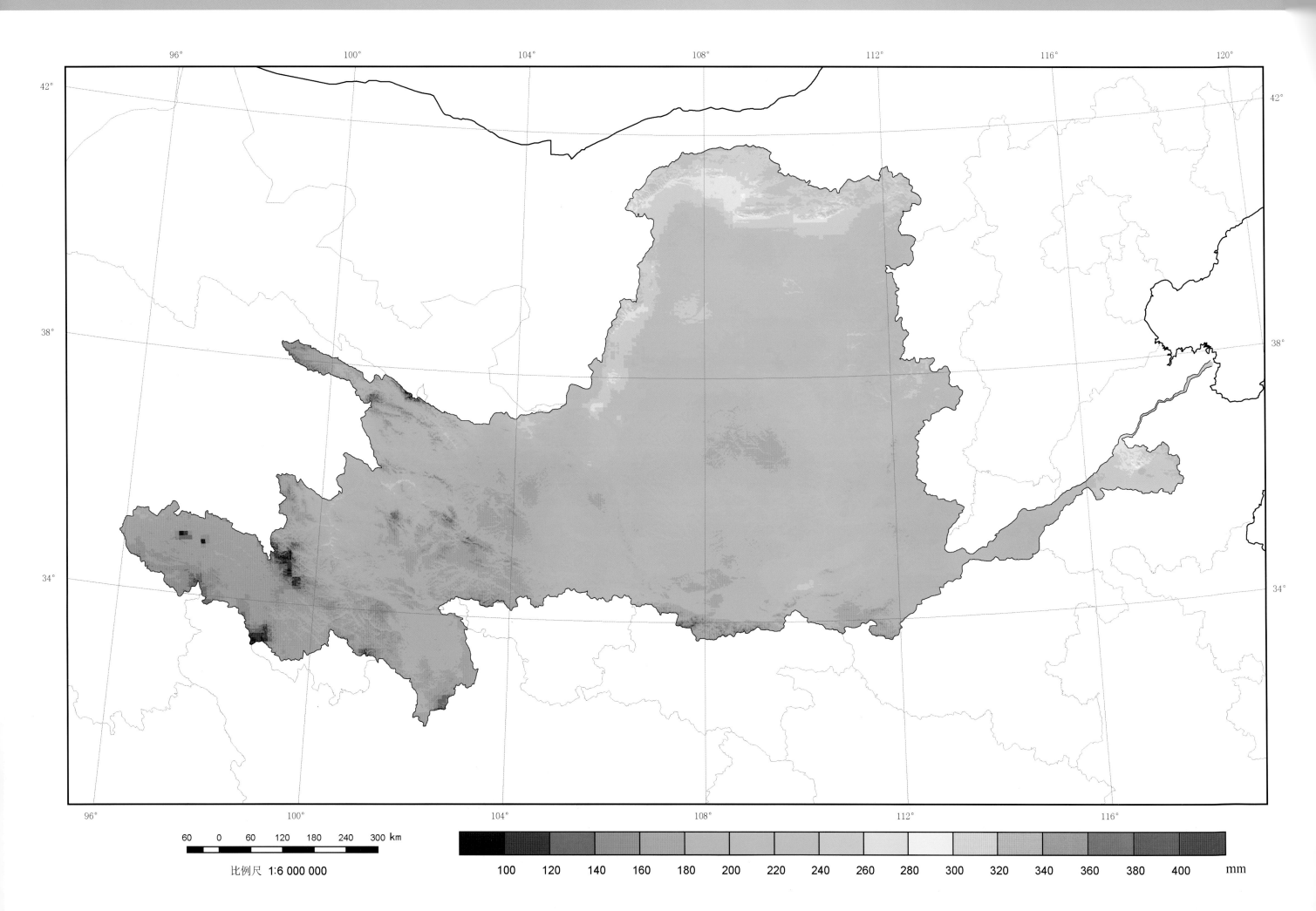

比例尺 1:6 000 000

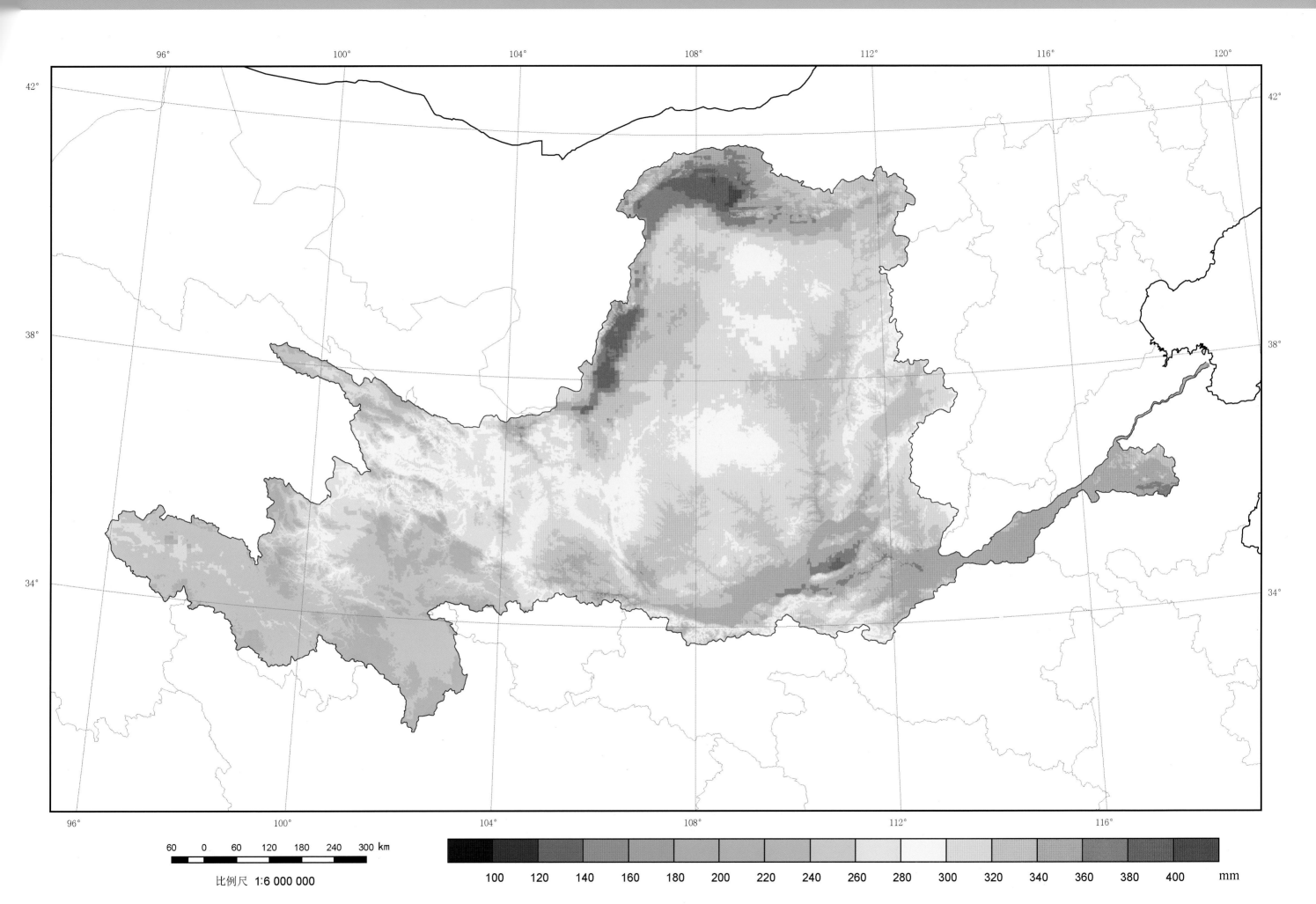

100 120 140 160 180 200 220 240 260 280 300 320 340 360 380 400 mm

黄 河 流 域 秋 季 潜 在 蒸 散 量

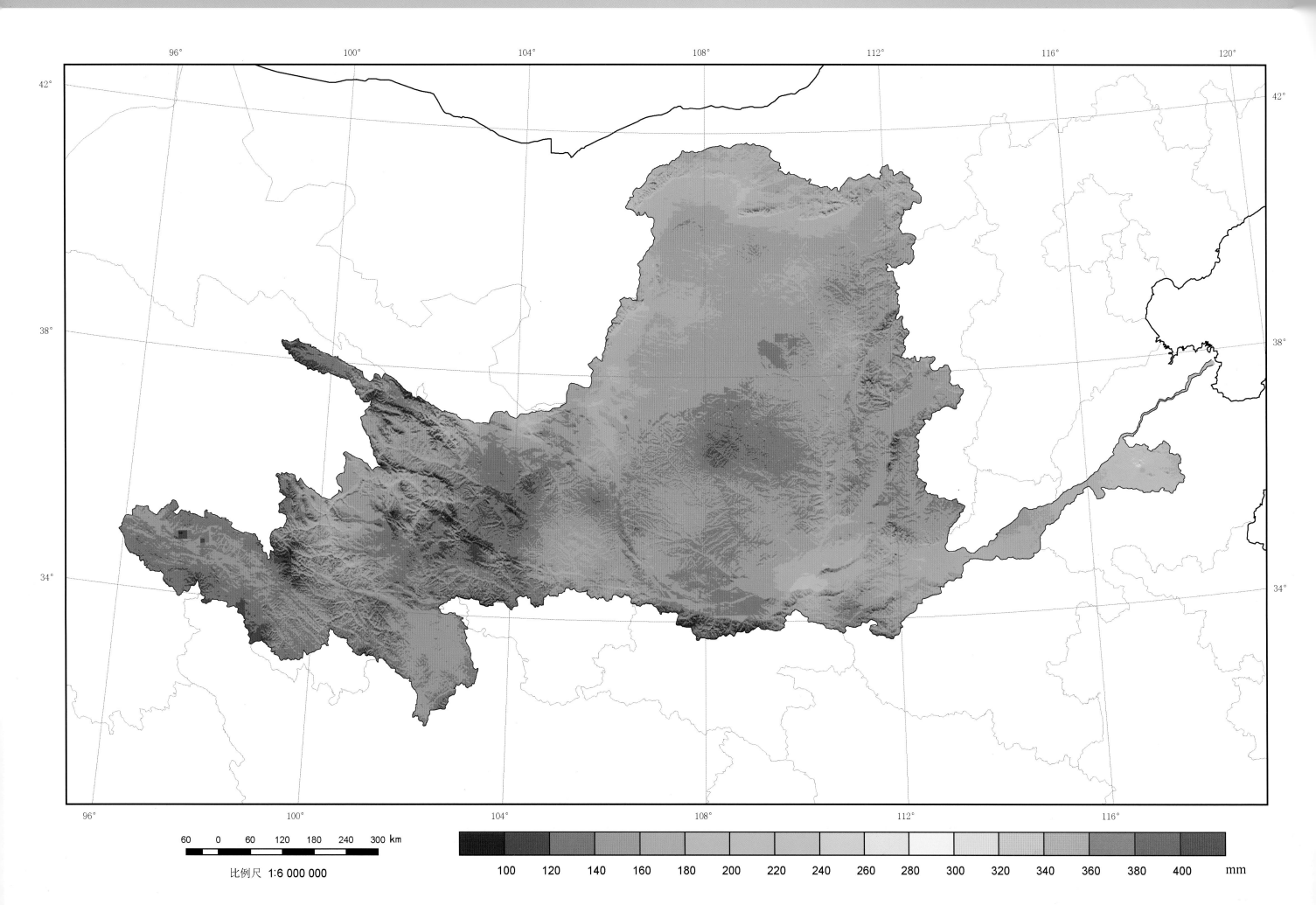

比例尺 1:6 000 000

100 120 140 160 180 200 220 240 260 280 300 320 340 360 380 400 mm

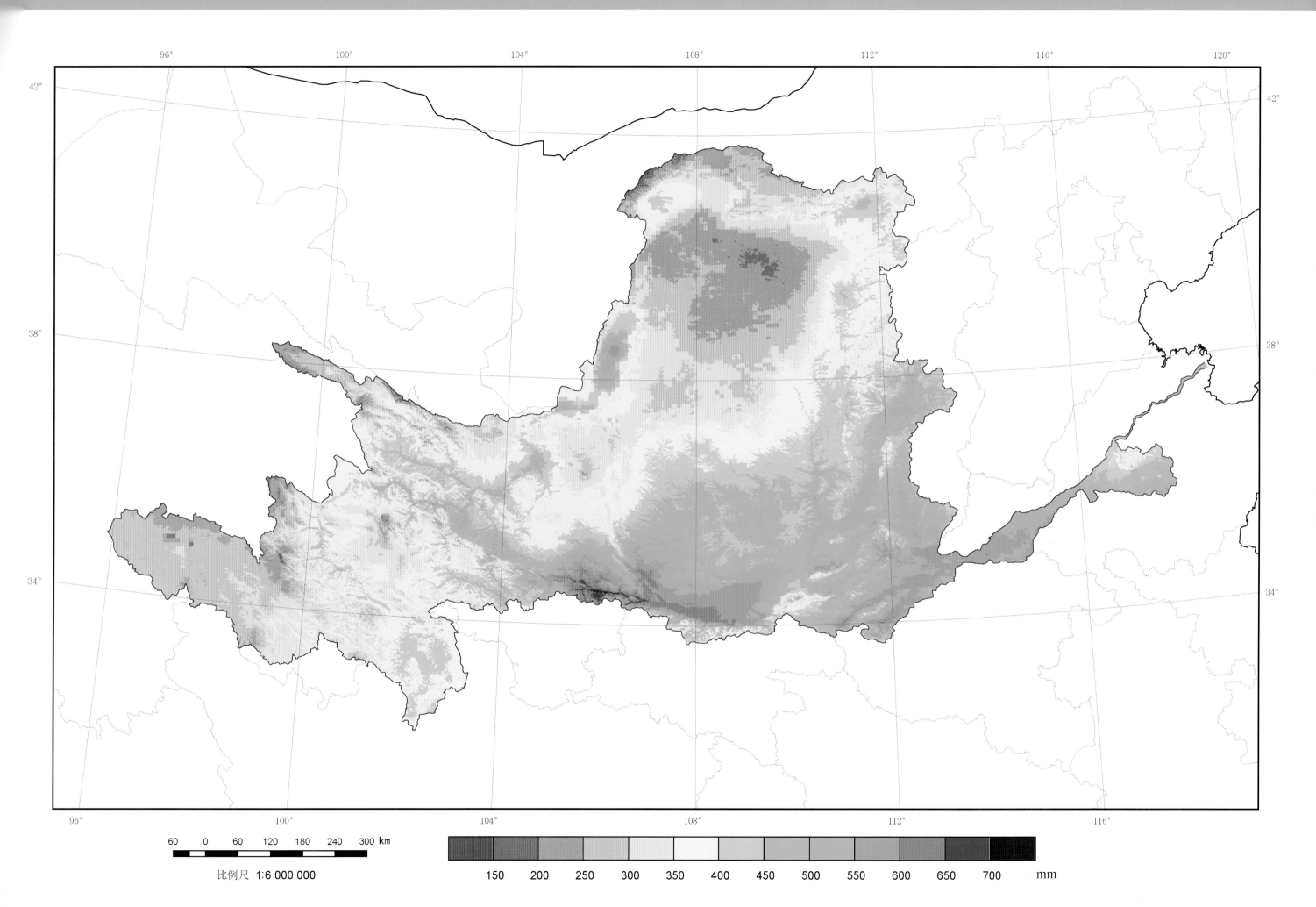

60 0 60 120 180 240 300 km

比例尺 1:6 000 000

150 200 250 300 350 400 450 500 550 600 650 700 mm

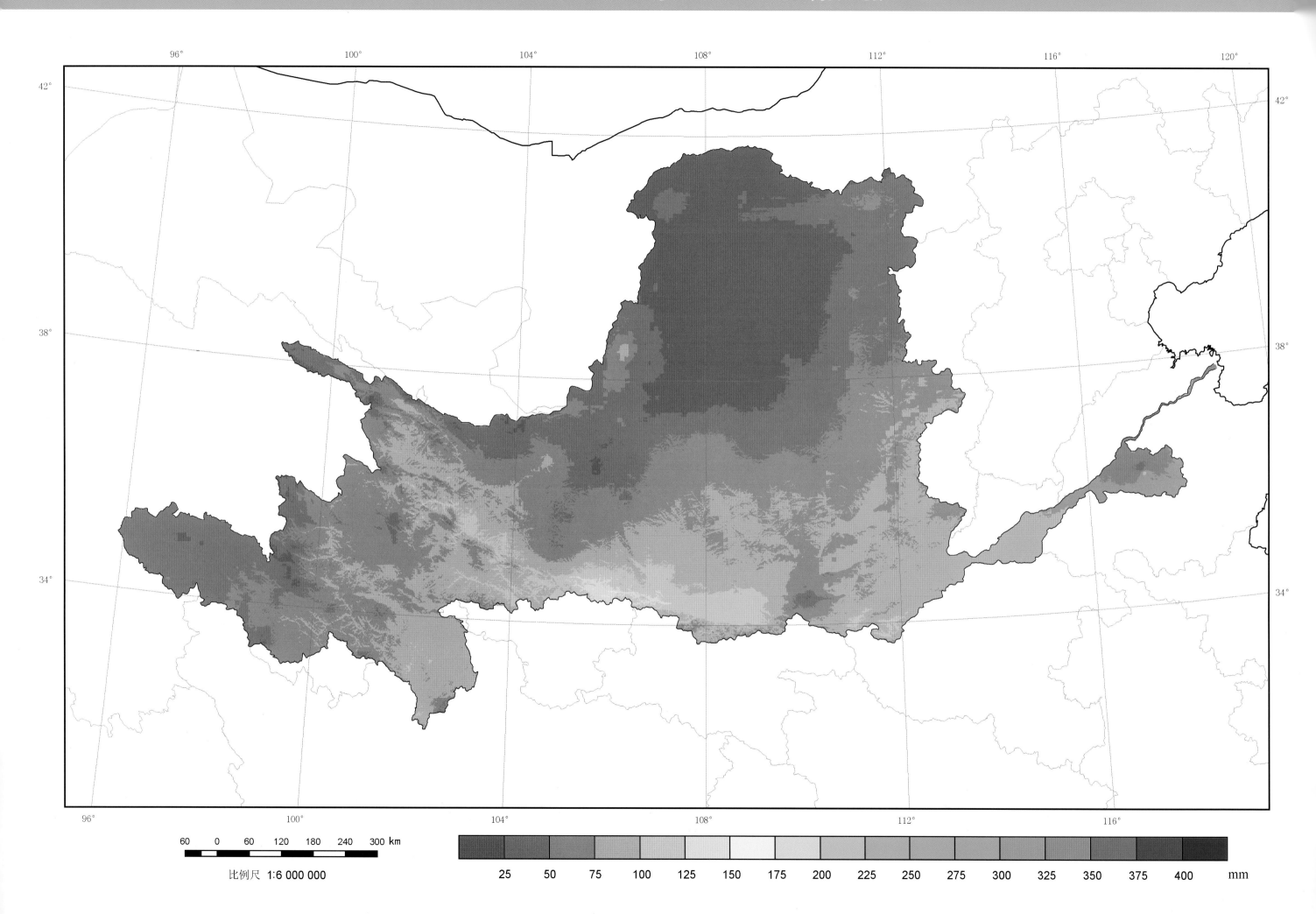

比例尺 1:6 000 000

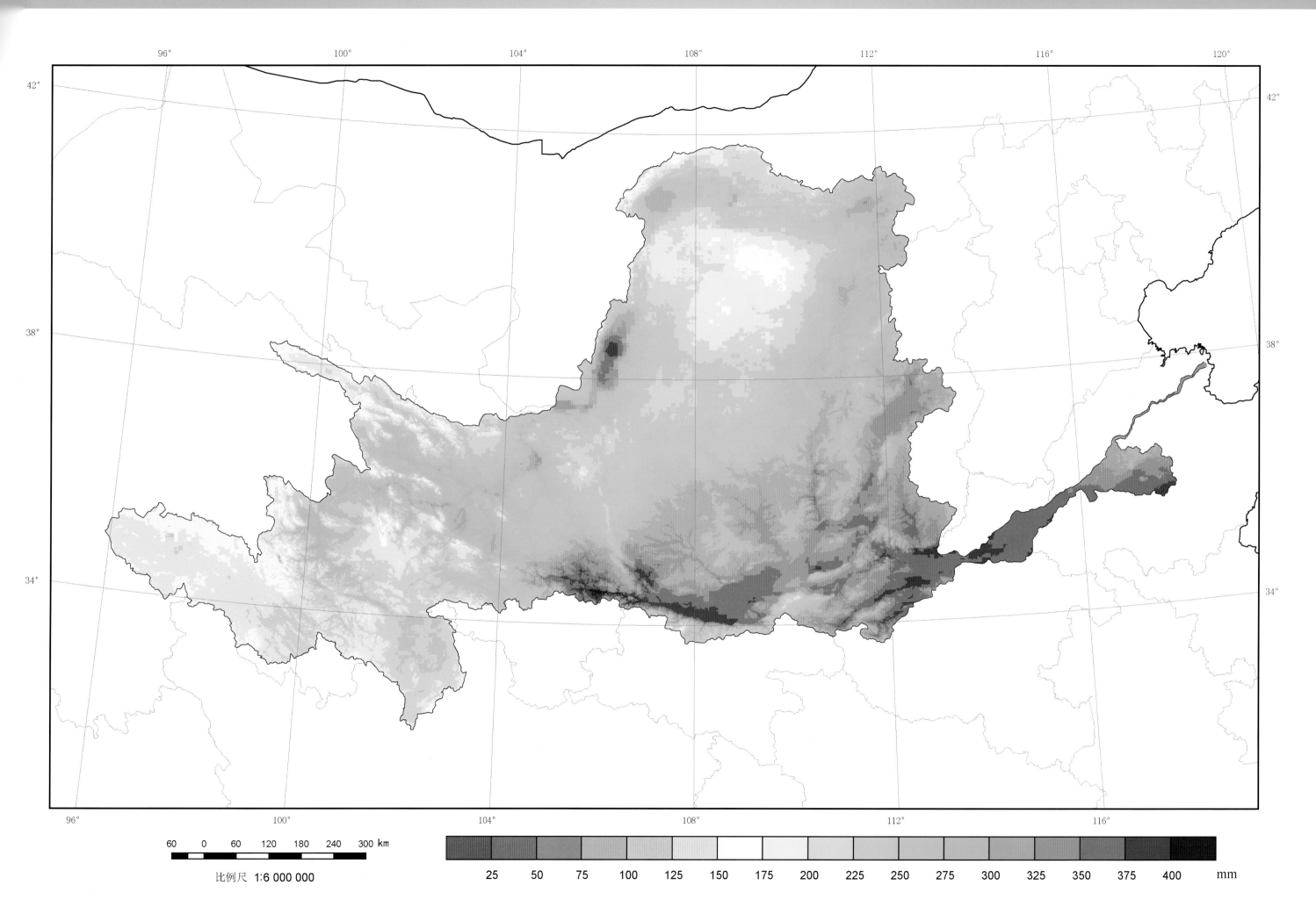

比例尺 1:6 000 000

25 50 75 100 125 150 175 200 225 250 275 300 325 350 375 400 mm

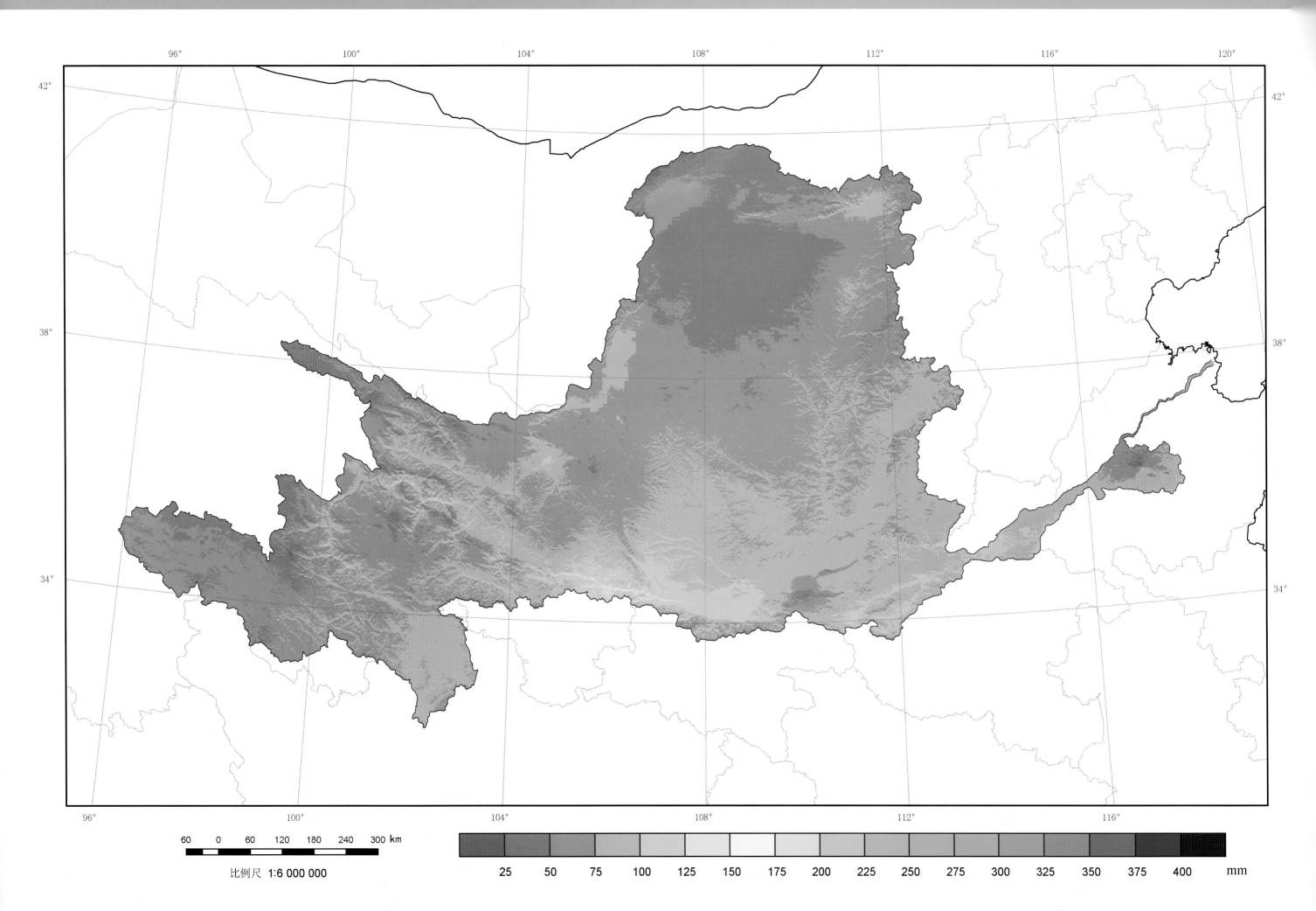

比例尺 1:6 000 000

60　0　60　120　180　240　300 km

25　50　75　100　125　150　175　200　225　250　275　300　325　350　375　400　mm

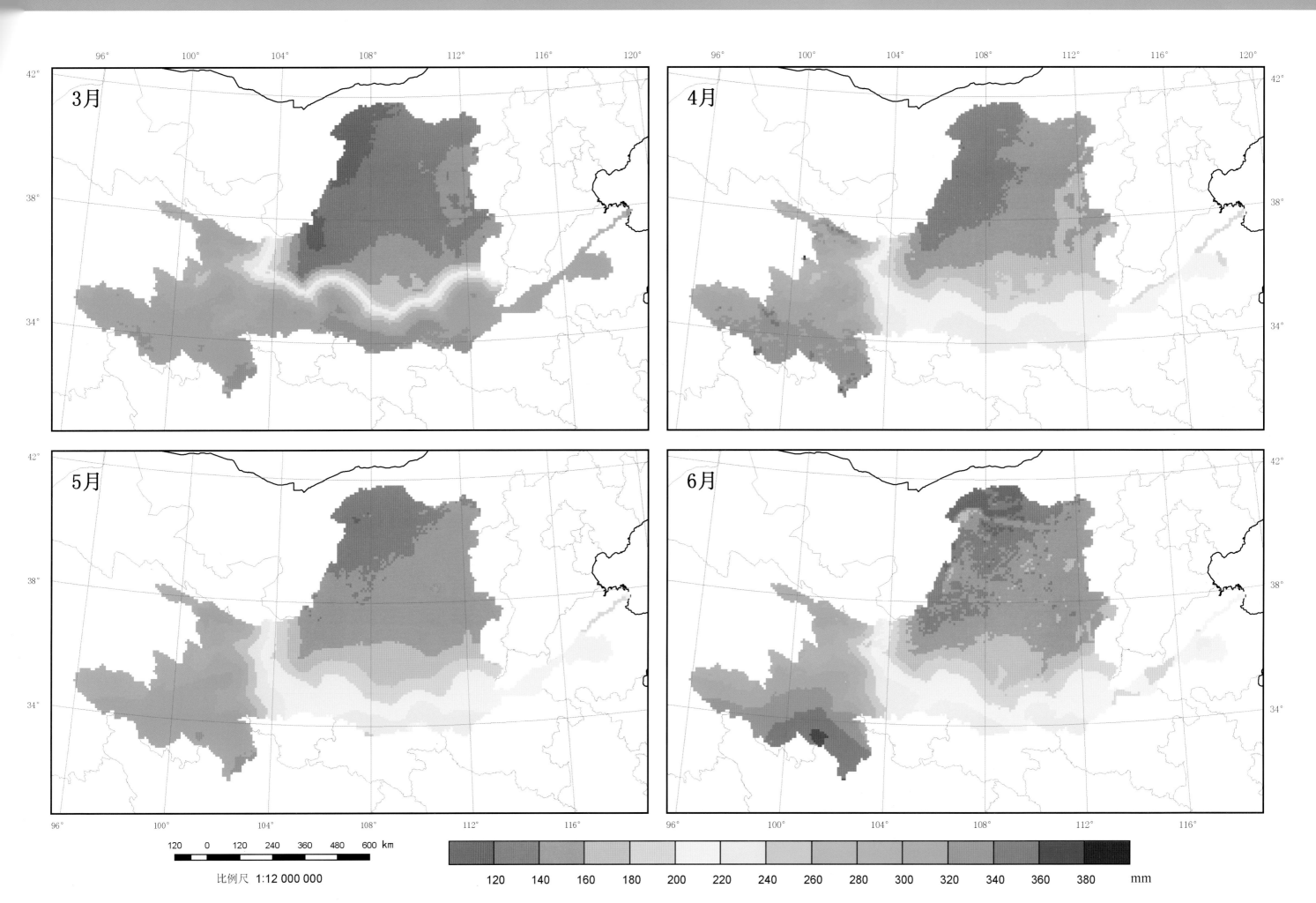

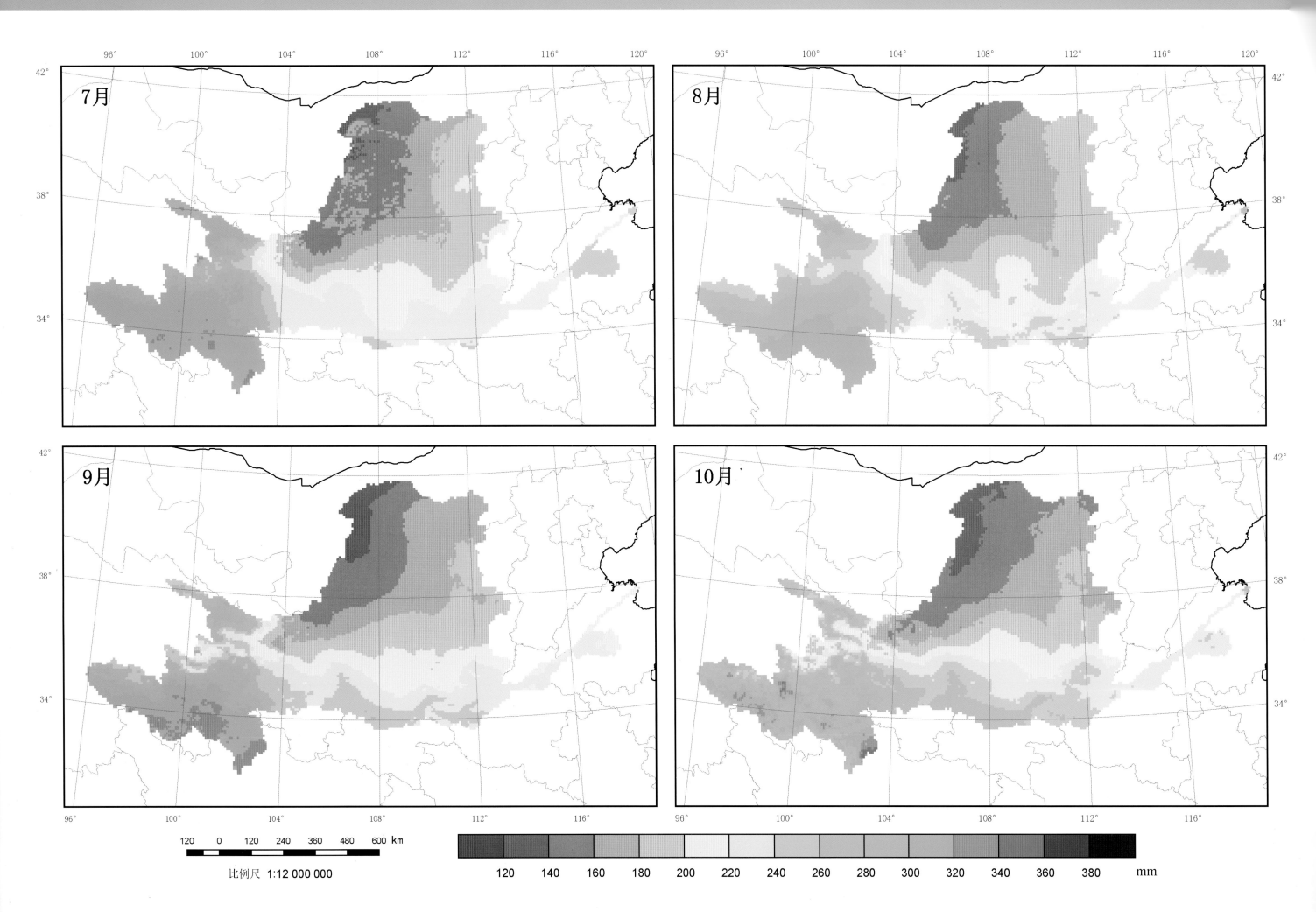

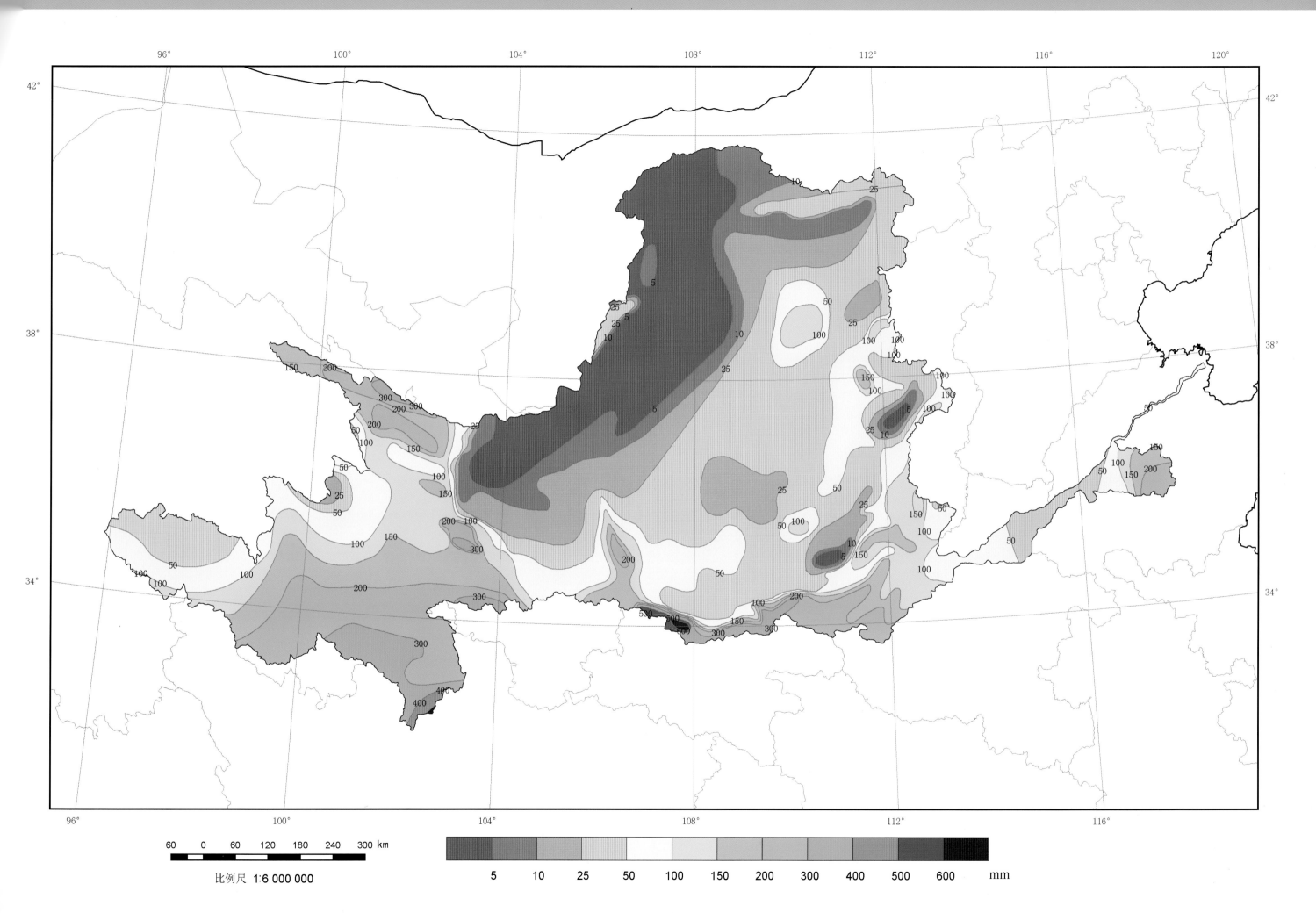

比例尺 1:6 000 000

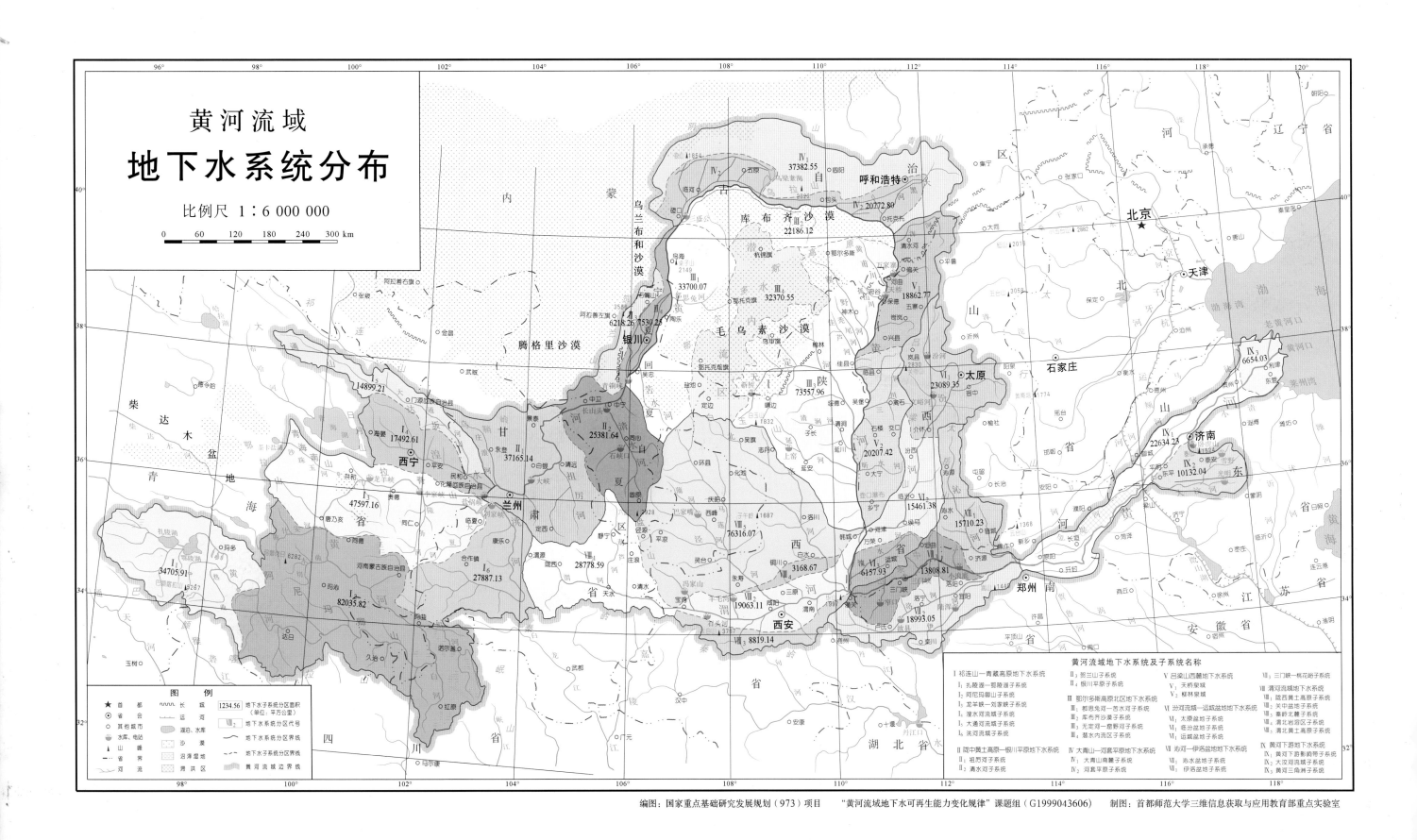

黄河流域
地下水系统分布

比例尺 1:6 000 000

0 60 120 180 240 300 km

编图：国家重点基础研究发展规划（973）项目　"黄河流域地下水可再生能力变化规律"课题组（G1999043606）　制图：首都师范大学三维信息获取与应用教育部重点实验室